UNA GUÍA PASO A PASO

MANUAL DE SOLDADURA CON ARCO ELÉCTRICO

Coordinación: **Luis Lesur**

EDITORIAL
TRILLAS

México, Argentina, España,
Colombia, Puerto Rico, Venezuela

Catalogación en la fuente

Lesur Esquivel, Luis
    Manual de soldadura con arco eléctrico : una guía
paso a paso. -- México : Trillas, 1995 (reimp. 2005).
    133 p. : il. col. ; 27 cm. -- (Cómo hacer bien y
fácilmente)
    ISBN 968-24-5063-2

    1. Soldadura eléctrica - Manuales, etc. I. t.
II. Ser.

D- 671.5212'L173m   LC- TT267'L4.5   2642

Derechos reservados
© 1995, Editorial Trillas, S. A. de C. V.,
División Administrativa, Av. Río Churubusco 385,
Col. Pedro María Anaya, C. P. 03340, México, D. F.
Tel. 56884233, FAX 56041364

División Comercial, Calz. de la Viga 1132, C. P. 09439
México, D. F. Tel. 56330995, FAX 56330870

www.trillas.com.mx

Miembro de la Cámara Nacional de la
Industria Editorial. Reg. núm. 158

Primera edición, 1995 (ISBN 968-24-5063-2)
    Reimpresiones, 1997, 1999 y 2002

Cuarta reimpresión, enero 2005*

Impreso en México
Printed in Mexico

En la elaboración de este manual
colaboraron:

Carlos Marín, en producción,
fotografía y diseño gráfico.

Salvador Galván Ubaldo, en
asesoría y producción.

Graciela Hernández Ávila, en
producción y modelaje.

Alicia Ávila Loera, en producción
y modelaje.

Contenido

La soldadura con arco eléctrico es una de las formas más comunes de unir metales. Casi no hay industria que no la utilice, ya sea en sus procesos de fabricación o en sus requerimientos de mantenimiento.

INTRODUCCIÓN

Una buena parte de las ventanas y las puertas de nuestras casas están hechas con perfiles de acero unidos por soldadura de arco eléctrico, al igual que muchas herramientas y máquinas.

En este manual mostramos los principios para hacer la soldadura con arco eléctrico. Una vez que se dominen estos fundamentos se estará listo para hacer soldaduras profesionales sencillas.

La manera de utilizar estos conocimientos para hacer objetos útiles se muestra en el *Manual de herrería* de esta misma colección.

Los dos procesos de soldadura más usados son la soldadura con arco eléctrico y la soldadura con oxiacetileno, cuyas bases mostramos en el *Manual de soldadura con oxiacetileno*, también de ésta colección.

La soldadura con arco eléctrico se puede hacer con un equipo muy pequeño y muy económico.

O se puede hacer con un equipo de mayor potencia, que puede resultar costoso para el hogar o un pequeño taller, pero que significa un ahorro en el trabajo de un taller mayor o una pequeña industria.

INTRODUCCIÓN

Dentro de la soldadura con arco eléctrico hay varios procesos, y cada uno se hace con técnicas y aparatos diferentes. Los más conocidos son: la soldadura de arco con electrodo recubierto, la soldadura con gas y arco de metal, y la soldadura con gas y arco de tungsteno.

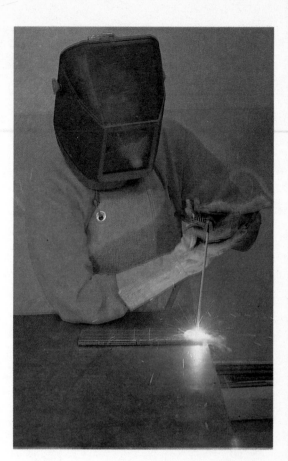

En este manual mostramos los principios de la soldadura de arco con electrodo revestido.

Y también los principios de la soldadura con gas y arco de metal.

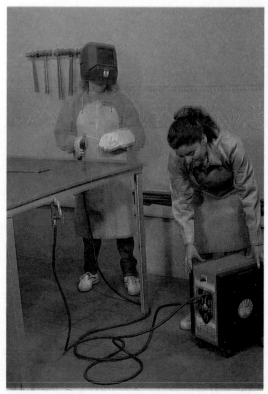

La soldadura de arco con electrodo revestido la ilustramos con un pequeño transformador que sirve para pequeños trabajos en el hogar o en el taller. Sin embargo, máquinas más grandes, que se operan igual, resisten mejor el trabajo continuo de un taller o una industria.

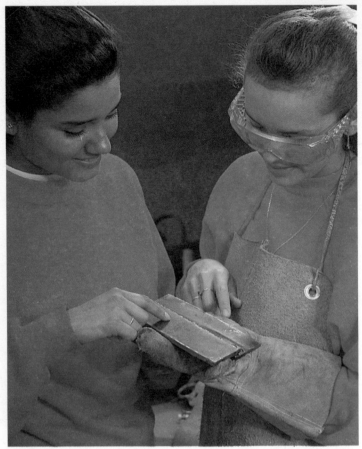

Ilustramos este manual con la participación de dos mujeres jóvenes. Una de ellas ya dominaba el manejo del electrodo revestido. La otra lo aprendió durante el proceso de fotografía de este manual. Las incluimos para enfatizar que la soldadura con arco eléctrico no es oficio o práctica sólo de hombres.

En este libro explicamos, en primer término, las reglas de seguridad más importantes que hay que seguir en el aprendizaje y durante el trabajo con soldadura de arco eléctrico.

Enseguida mostramos las características principales de los equipos para la soldadura con electrodo revestido, particularmente de los llamados transformadores. En este mismo capítulo se indican, con sencillez, algunos conceptos de electricidad.

En tercer lugar hablamos de los electrodos y su revestimiento.
Mencionamos las características de aquellos que resultan ser los más usados en la soldadura normal del acero dulce o de bajo carbono.

INTRODUCCIÓN

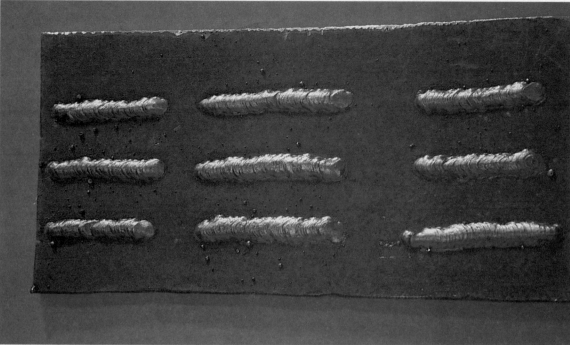

En cuarto lugar explicamos los principios básicos para iniciarse en la soldadura con arco, desde la manera de pararse, tomar el electrodo y bajar la careta, hasta la forma de hacer cordones y movimientos de costura.

En el capítulo de uniones básicas comienza propiamente la unión de los metales por medio de la soldadura. Se muestran ejercicios para unir a tope, a solapa y en "T". Igualmente se muestra cómo ejecutarlos en diversas posiciones, como la plana, la horizontal y la vertical.

Finalmente, el último capítulo trata de la soldadura con gas y arco de metal o soldadura MIG, como es más popularmente conocida. Incluimos este proceso porque cada vez se usa más, y está desplazando al tradicional de electrodo revestido.

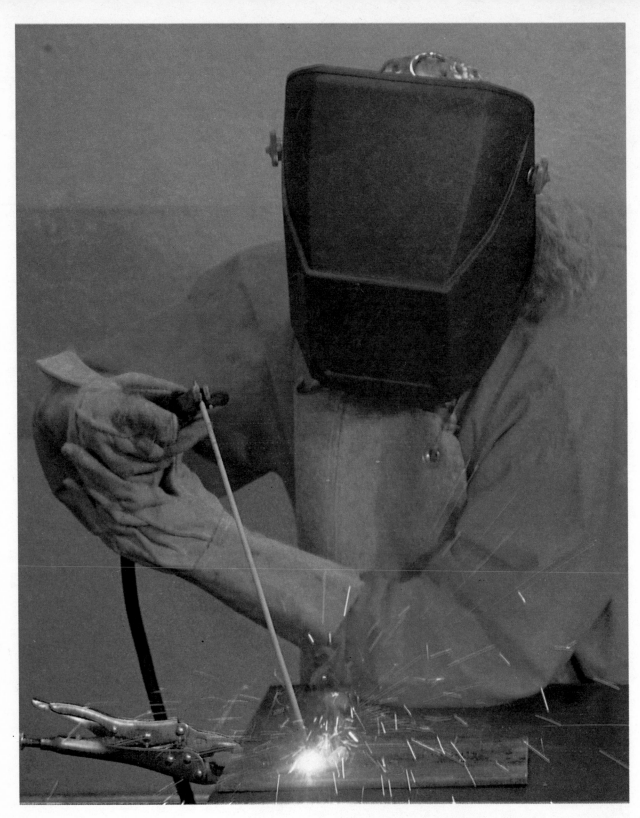

El mayor peligro al trabajar la soldadura con arco es el de las quemaduras. Éstas se producen por la exposición a los rayos ultravioleta, por las chispas de material ardiente y por tocar el material soldado cuando todavía está caliente.

SEGURIDAD

La soldadura se hace con el arco eléctrico que calienta y funde el metal.

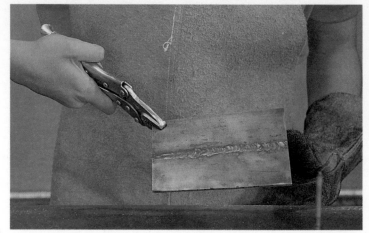

Si la pieza que se acaba de soldar se toca con la mano, es muy probable que la experiencia resulte en una quemadura. Hay que tomar las piezas recién soldadas con unas pinzas.

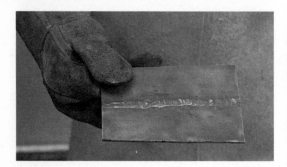

O bien, tomarlas con las manos protegidas por unos guantes gruesos de carnaza.

Los electrodos también se calientan, de modo que al cambiar los que se terminan no deben tocarse con las manos desnudas, sino con guantes o con unas pinzas.

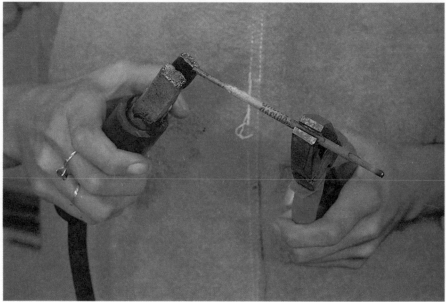

Cerca del lugar donde se suelda se debe tener un recipiente para tirar los cabos calientes de los electrodos terminados, para que no caigan en el piso o sobre la mesa de trabajo y alguien se pueda quemar accidentalmente.

El arco eléctrico con el que se hace la soldadura produce luz visible, luz infrarroja y luz ultravioleta. Las ondas ultravioleta son peligrosas, pues una exposición prolongada a ellas puede producir, en la piel y en los ojos, quemaduras de primer y segundo grado.

La luz ultravioleta del arco es tan fuerte que puede quemar los ojos en segundos y la piel en minutos.

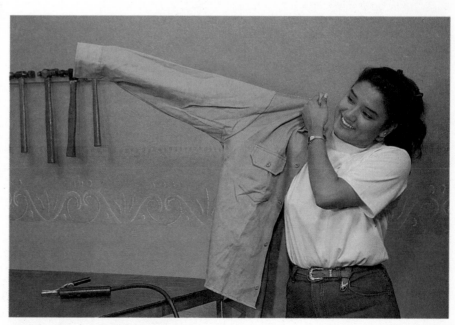

La luz ultravioleta traspasa la ropa delgada y clara de las mujeres, por lo que al soldar se debe usar ropa gruesa, de colores vivos, que cubra los brazos, las piernas y el cuello.

La piel también se puede proteger con lociones o cremas protectoras de los rayos ultravioleta, como las que usan los bañistas para asolearse sin peligro de quemaduras graves.

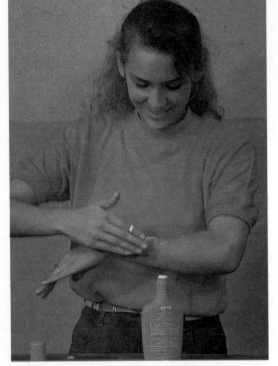

La protección de la piel es importante en la soldadura con arco, pero la protección de los ojos es fundamental. Ni el soldador ni otras personas deben ver directamente la luz del arco.

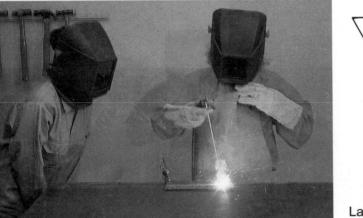

El soldador y quien lo acompañe o ayude deben tener todo el tiempo una protección para los ojos, con vidrios de seguridad, con una sombra del número 10 o del 12.

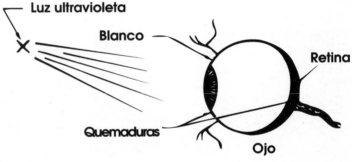

La luz ultravioleta puede lesionar la retina o fondo de los ojos. Son quemaduras que no duelen en el momento, ni se sienten, pero pueden llevar a perder parte de la vista. Las partes blancas del ojo también pueden quemarse con la luz ultravioleta y pueden infectarse.

Los deslumbramientos ocasionales producidos por la luz de arco no producen daños permanentes, sino sólo algunas molestias posteriores, como ardor o sensación de arena, que se llegan a sentir hasta 6 u 8 horas después.

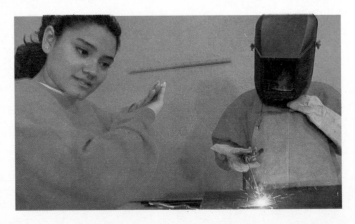

Pero si los deslumbramientos se repiten pueden causar cataratas y hasta ceguera permanente.

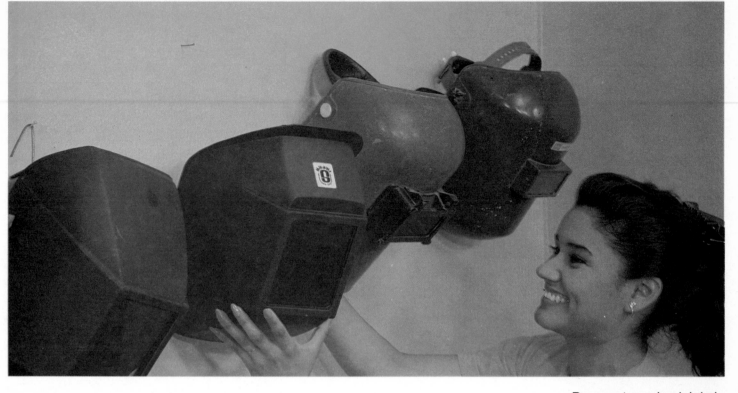

Para proteger la piel de la cara y los ojos al soldar, se utilizan unas caretas de fibra de vidrio con una ventana que lleva un cristal oscuro, neutralizador de los rayos ultravioleta, llamado *vidrio actínico*.

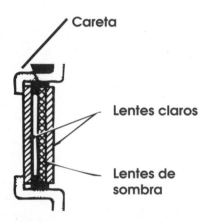

Careta

Lentes claros

Lentes de sombra

Los vidrios actínicos de las caretas llevan al frente un vidrio claro transparente que los protege de las chispas de la soldadura.

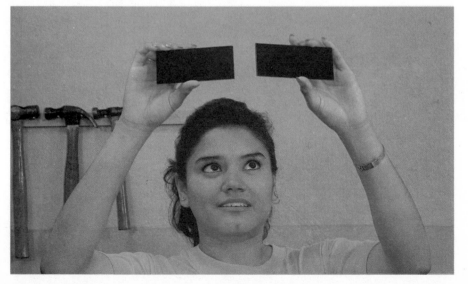

Estos cristales oscuros tienen sombras diferentes. La sombra que se use depende de la clase de soldadura que se haga. Así, la sombra del número 10 es para soldar entre 75 y 200 amperes.

Mientras que la sombra del 12 se usa cuando se suelda con más de 200 amperes y hasta los 400.

En soldaduras con más de 400 amperes se debe usar una sombra del número 14.

Además de proteger los ojos durante la soldadura, se deben proteger después, mientras se quita la escoria o se esmerila. En todos los procesos en que saltan partículas se debe usar gafas de seguridad con cristales claros.

Todos los procesos de soldadura producen humos y gases indeseables. En la soldadura con arco algunos de los fundentes de los electrodos producen humos que irritan la nariz y las vías respiratorias.

No se debe respirar ninguna clase de humo. Tampoco los humos de la soldadura. Por ello, en el taller debe haber una muy buena ventilación. La mejor ventilación es la natural, que se tiene trabajando al aire libre.

SEGURIDAD

Si se trabaja en un lugar cerrado se debe tener un extractor que renueve rápidamente el aire del taller.

Si se trabaja en soldadura con argón o con dióxido de carbono, gases que no huelen y no se ven, se debe tener muy buena ventilación.

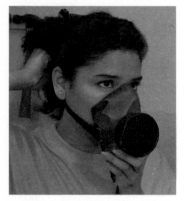

En caso de que se deba soldar con una ventilación pobre es necesario trabajar con una mascarilla.

ROPA

Las chispas del arco pueden quemar la piel y la ropa. Por eso debe utilizarse ropa resistente al fuego, como el algodón o la lana.

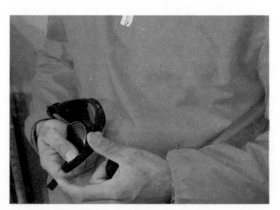

Al soldar nunca debe usarse ropa de fibras sintéticas, como el nylon, el rayón o el poliéster, porque se queman muy fácil y rápidamente.

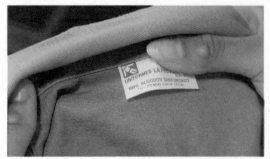

En cambio, las camisas y los pantalones de algodón o lana resisten más el fuego Si son de colores oscuros protegen también de los rayos ultravioleta.

Además de las quemaduras, el soldador se debe proteger de un choque eléctrico, evitando trabajar sobre pisos húmedos o mojados.

Cerca de donde esté instalada la máquina de soldar se debe tener un apagador accesible, con el que se pueda desconectar la corriente sin necesidad de tocar la máquina de soldar.

Al soldar se deben usar zapatos de seguridad, o por lo menos, zapatos de suela de hule gruesa que proporcionen un buen aislamiento durante el trabajo.

No se debe permitir que las partes metálicas de los electrodos ni las partes metálicas del portaelectrodo toquen la piel del soldador o las partes húmedas de su ropa.

Se recomienda que al soldar se lleven guantes secos, particularmente si se es persona a la que le sudan las manos. Los guantes protegen la piel de los rayos ultravioleta, de las salpicaduras del metal caliente y del choque eléctrico.

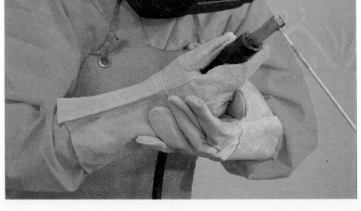

SEGURIDAD

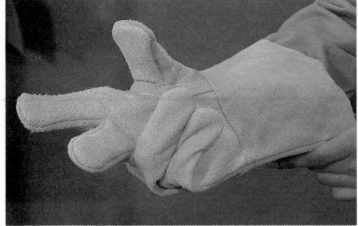

Deben ser guantes de carnaza, suficientemente flexibles para permitir un buen movimiento de los dedos. Es mejor no utilizarlos para tomar las piezas calientes, porque pierden su flexibilidad.

Se debe usar camisa de algodón o lana de manga larga y cuello alto para proteger los brazos y el pecho, particularmente cuando se suelda en posición vertical, horizontal y sobre la cabeza.

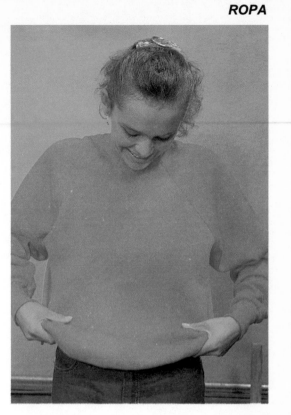

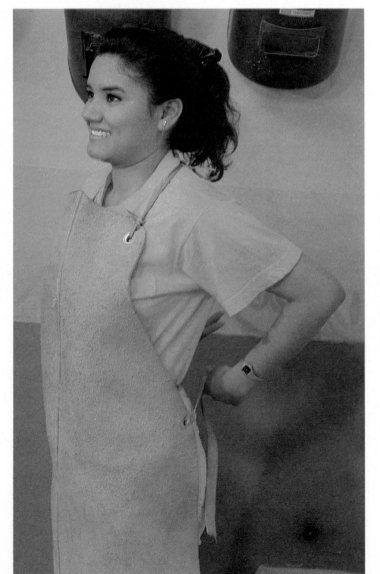

El delantal de cuero se recomienda cuando las chispas son muchas y pueden causar daños.

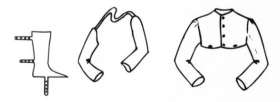

Cuando hay una cantidad excesiva de chispas es mejor usar un traje de cuero, formado por una camisola de cuero y pantalones o chaparreras, también de cuero.

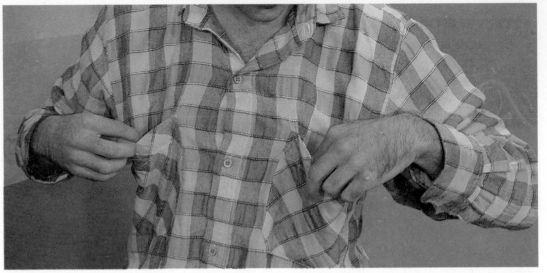

Las camisas no deben llevar bolsas abiertas por las que se puedan meter chispas.

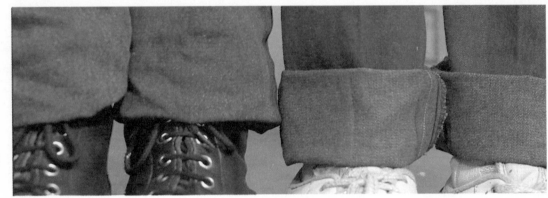

Los pantalones no deben tener valencianas por las que se puedan meter chispas o partículas de metal caliente.

CORRIENTE ELÉCTRICA

Cuando la máquina de soldar no esté en uso debe tenerse apagada.

Al terminar o interrumpir el trabajo no deje el electrodo conectado al portaelectrodo.

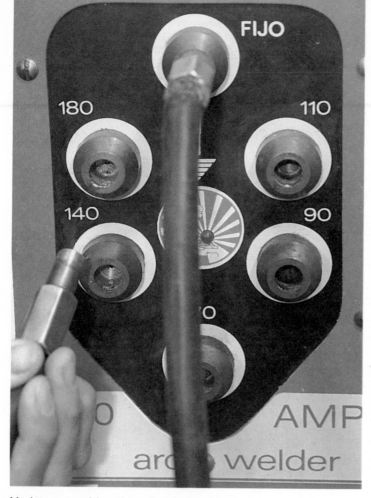

No haga cambios de polaridad o de
amperaje cuando la máquina esté
encendida. Apáguela primero.

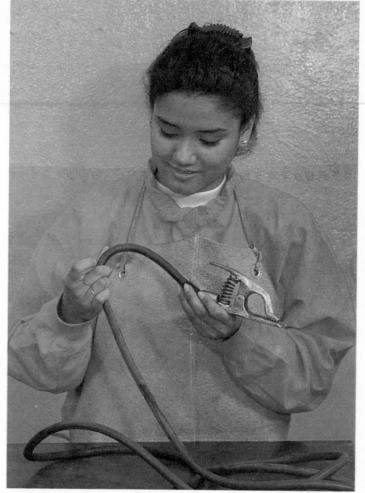

Reponga de
inmediato cualquier
cable dañado.

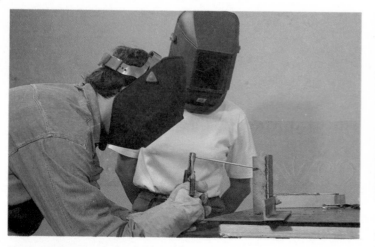

No comience un arco sin que
las demás personas presentes
tengan protección.

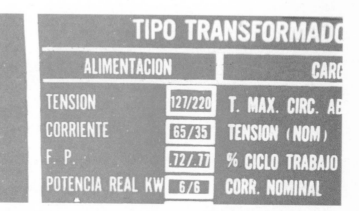

La corriente con que se alimenta una máquina de soldar
generalmente es de 220 volts. Un voltaje de esa magnitud
siempre es peligroso. Se debe tener cuidado extremo al
manejarlo y debe asegurarse de que la armazón de la
máquina esté correctamente conectada a tierra.

En las páginas siguientes se explican algunos conceptos de electricidad, a fin de comprender mejor el funcionamiento de las máquinas de soldar, los transformadores y los rectificadores de corriente; también se describen las herramientas necesarias para poner un pequeño taller de soldadura.

EQUIPO

Calor producido por la resistencia al paso de los electrones

Alambre

Átomos que constituyen el alambre

Electrones que forman parte del átomo

Camino de los electrones que fluyen a través del alambre

Los electrones que se mueven forman la corriente

Cuando una corriente se mueve a través de un cable se genera calor por la resistencia del alambre al paso de la electricidad. Mientras más grande es el flujo de corriente, más grande es la resistencia y más intenso el calor.

El calor con el que se hace la soldadura viene de un arco que se provoca cuando la corriente salta a través del aire, entre la punta del electrodo y la base del metal.

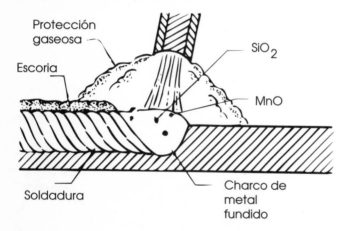

Protección gaseosa

Escoria

SiO_2

MnO

Soldadura

Charco de metal fundido

El aire presenta una resistencia muy elevada al paso de la corriente, y esta resistencia es la que hace que se produzca un arco con un calor muy intenso que va de los 3,300 a los 5,500 grados centígrados .

Para entender la operación correcta de una máquina soldadora conviene tener algunas nociones de electricidad.

La **corriente continua**, algunas veces llamada también **corriente directa**, es una corriente que fluye o corre en una sola dirección, como la de las baterías de los automóviles.

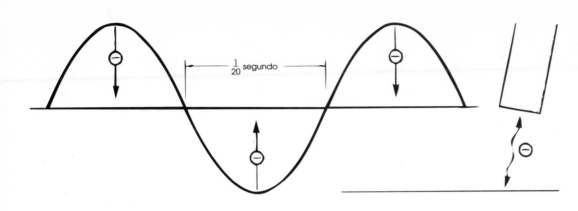

La **corriente alterna** es una corriente que, alternadamente, corre o fluye en una dirección y luego en otra. En la primera mitad de un ciclo corre en una dirección y en la segunda mitad del ciclo corre en el sentido opuesto.

La velocidad del cambio se conoce como **frecuencia**, generalmente de 60 ciclos por segundo.

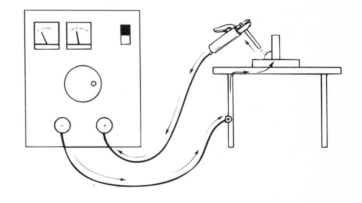

Un **conductor** es, generalmente, un alambre de metal o una barra que permite el paso libre de la corriente eléctrica. El conductor se recubre algunas veces con un material aislante.

Un **circuito eléctrico** es el camino que sigue una corriente eléctrica al correr o fluir por el conductor desde una terminal a la otra. Un circuito de soldadura comienza en una terminal de la máquina de soldar y se mueve, a través del alambre o cable, hasta la carga o trabajo y regresa a la otra terminal de la máquina.

Amperaje es la cantidad de corriente que fluye o corre por un circuito. La corriente se mide en amperes. El instrumento que mide la cantidad de corriente que pasa por un circuito se llama **amperímetro**.

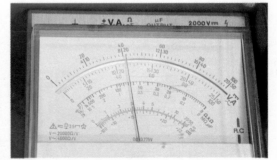

Volt es la fuerza que hace que la corriente corra o fluya en un circuito. Esta fuerza es similar a la presión o fuerza para que el agua fluya o corra por los tubos. El instrumento que mide los volts o fuerza de la corriente se llama **voltímetro**.

Resistencia es la oposición al paso de una corriente eléctrica, haciendo que la energía se transforme en calor.

El **voltaje constante** o **potencial constante** es un voltaje estable, que no cambia, independientemente de que cambie el amperaje producido por la fuente de poder. Esta característica es particularmente importante en la soldadura conocida como MIG.

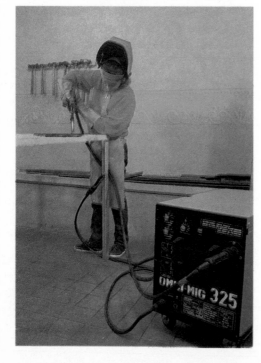

Al igual que sucede con la presión del agua, que disminuye conforme aumenta la distancia desde la bomba, el voltaje baja o cae conforme aumenta la distancia desde el generador. Si el cable es muy largo habrá una gran caída de voltaje. Cuando hay mucha caída la máquina no puede proporcionar suficiente corriente para la soldadura.

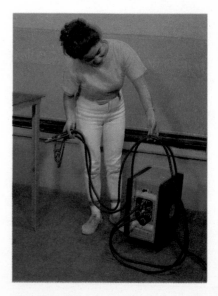

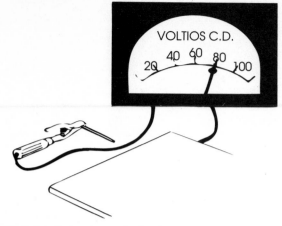

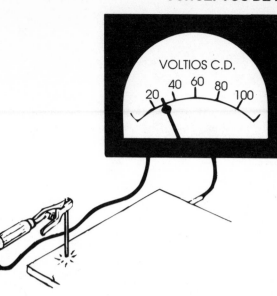

Se conoce como **voltaje de circuito abierto** el voltaje producido cuando una máquina está funcionando y no está haciendo ninguna soldadura. Este voltaje varía de 50 a 100 volts.

Después de que se hace el arco, el voltaje cae a lo que se conoce como **voltaje del arco** o **voltaje de trabajo**, que es entre 18 y 36 volts.

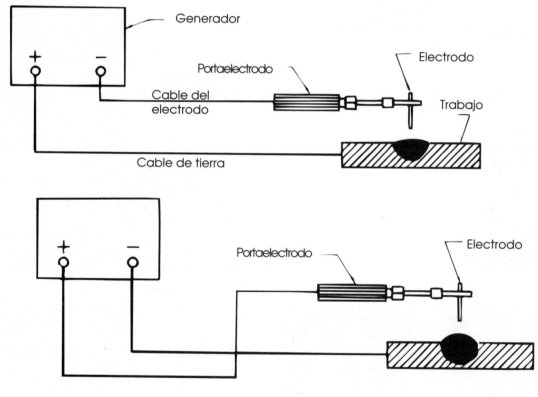

La **polaridad** indica la dirección en que fluye la corriente en un circuito de corriente directa.

Cuando el electrodo está conectado al polo negativo se dice que se trabaja con **polaridad negativa**.

Si el electrodo se conecta al polo positivo se dice que se trabaja con una **polaridad positiva**.

La polaridad es importante para algunas soldaduras, pues afecta la cantidad de calor que se va a la base del metal. Con la polaridad negativa se dirige más calor a la pieza de trabajo, mientras que con la polaridad positiva se produce más calor en el electrodo.

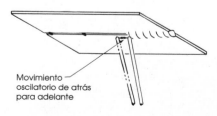

Movimiento oscilatorio de atrás para adelante

En algunos tipos de soldadura es preferible tener más calor en la pieza de trabajo, porque el área de trabajo es grande, en cambio, cuando se trabaja contra la fuerza de la gravedad, ya sea en soldaduras horizontales, verticales y sobre la cabeza, es mejor la polaridad positiva que concentra más calor en el electrodo.

Las máquinas para soldar se clasifican en dos grandes grupos: las de corriente constante (amperaje constante) y las de potencia constante (voltaje constante)

Las máquinas de corriente constante están hechas para la soldadura normal de barra o electrodo.

Mientras que las de potencia constante son para la soldadura de metal con gas inerte.

La soldadura eléctrica con electrodo o soldadura con metal y arco protegido (SMAW), como es su nombre correcto, es el proceso de soldadura más usado por la facilidad con que se hace y su bajo costo.

En las máquinas de corriente constante se produce una corriente o amperaje estable o constante, a pesar de que haya una gran variedad de voltajes, debido a los cambios en el tamaño del arco, producidos por la vibración del pulso al soldar.

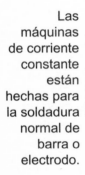

Al soldar manualmente es difícil sostener el electrodo siempre con la misma separación sobre el metal que se suelda. Aunque el largo del arco sube y baja con el movimiento de la mano, la cantidad de corriente que sale por el arco no cambia. Lo que cambia es el voltaje del arco, según su longitud. La corriente o amperaje se mantiene relativamente constante en una máquina de corriente constante.

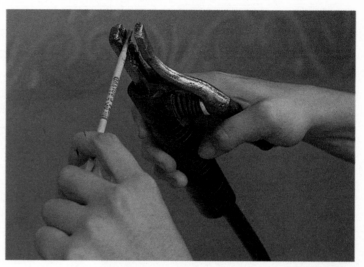

Con las máquinas de corriente constante se utiliza un electrodo de metal cubierto por una pasta.

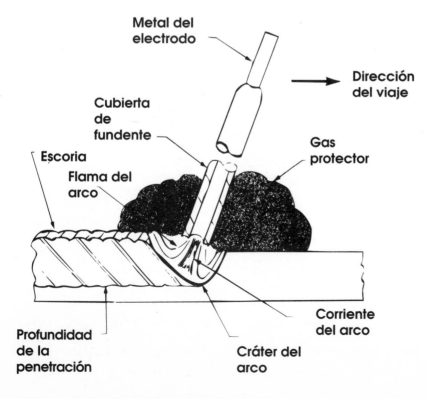

Metal del electrodo

Dirección del viaje

Cubierta de fundente

Gas protector

Escoria

Flama del arco

Profundidad de la penetración

Cráter del arco

Corriente del arco

La corriente, que viaja por el núcleo de metal, forma un arco desde la punta del electrodo hasta la pieza de trabajo.

Este arco produce un calor lo suficientemente intenso para derretir, tanto el metal de trabajo, como el metal del electrodo.

El metal derretido del electrodo viaja a través del arco hasta el metal derretido de la pieza de trabajo y se mezcla con él.

Conforme el metal se enfría y se vuelve sólido, forma una masa de una sola pieza.

El charco de metal derretido está rodeado o protegido y purificado por una nube de humo y una capa de escoria, producida al quemarse y evaporarse la cubierta del electrodo.

Los electrodos para soldar los producen muchos fabricantes.

La corriente para soldar con metal y arco protegido la producen tres tipos de máquinas: transformadores, generadores de motor y rectificadores.

Las máquinas para soldar se miden por su capacidad en amperes, en un ciclo de trabajo al 60%. Así, hay máquinas de 150, 200, 300, 400, 500 o 600 amperes. Este amperaje se mide por la corriente que sale por la terminal.

Una máquina pequeña, de 90 a 180 amperes, sirve para el trabajo ligero y mediano, con resistencia y excelentes resultados en trabajos de mantenimiento y pequeña y mediana producción.

Una máquina de 250 a 300 amperes es excelente para los requerimientos de soldadura de una pequeña producción industrial.

La corriente para operar estas máquinas viene de las líneas eléctricas normales o bien de unas pequeñas plantas eléctricas de gasolina o de diesel, que se usan en el campo, donde no se dispone de electricidad.

Mientras que, una máquina de 400 a 600 amperes es buena para el trabajo rudo de gran capacidad en la fabricación de maquinaria pesada, barcos, grandes tuberías de acero y tanques, así como para cortar acero.

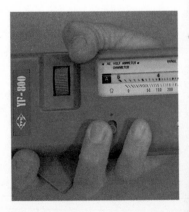

EQUIPO

Las máquinas para soldar producen un calor intenso, al mismo tiempo que producen la corriente para soldar.

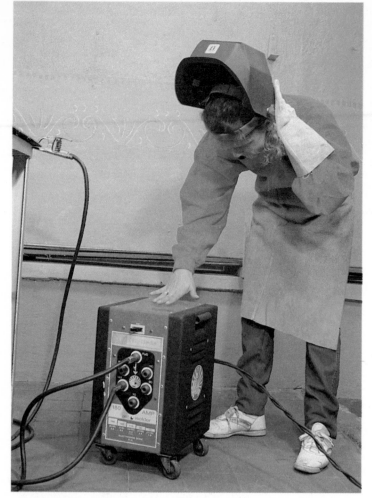

Afortunadamente las máquinas para soldar no son utilizadas por periodos largos sin parar. El soldador tiene que cambiar electrodos, cambiar de posición o voltear la pieza de trabajo, de manera que está constantemente interrumpiendo el trabajo de soldadura. Se llama **ciclo de trabajo** al tiempo que la máquina puede ser usada continuamente. Un ciclo del 60% quiere decir que en un periodo de 10 minutos la máquina puede ser usada solo 6 minutos a su corriente máxima y luego se debe enfriar por cuatro minutos. El ciclo de trabajo aumenta conforme disminuye el amperaje con el que se trabaja.

TRANSFORMADORES

Su principal desventaja es, precisamente, que sólo produce corriente alterna, por lo que no puede emplear algunos electrodos que sólo se producen para máquinas de corriente directa.

El transformador es un tipo de máquina para soldar que produce corriente alterna. Es el equipo menos caro y más ligero. Es un aparato muy eficiente, silencioso, que no tiene partes móviles, requiere de poco mantenimiento y es durable.

El transformador toma su corriente de la línea de corriente normal con un voltaje de 120 volts y 30 amperes (o 220 volts y 60 amperes) y la transforma entre 17 y 45 volts con 150 a 590 amperes.

El transformador está hecho con un núcleo de láminas de acero alrededor del cual hay dos **bobinas** o rollos de alambre, una llamada primaria y otra secundaria.

El rollo de alambre de la bobina primaria tiene más vueltas que el rollo de alambre de la bobina secundaria.

La bobina primaria induce en el núcleo de acero una corriente de alta tensión o alto voltaje, y produce en la bobina secundaria una corriente de baja tensión o voltaje y alto amperaje, que se usa para soldar.

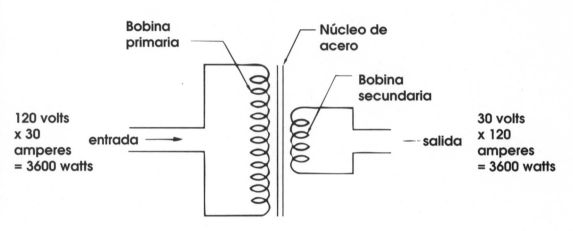

Bobina primaria   **Núcleo de acero**   **Bobina secundaria**

120 volts
x 30
amperes
= 3600 watts

entrada →

— salida

30 volts
x 120
amperes
= 3600 watts

En algunas máquinas, el amperaje de la corriente para soldar se ajusta metiendo los bornes de los cables en el enchufe del frente de la máquina que corresponda con el amperaje que se necesite, según el electrodo que se vaya a usar.

FIJO
180
110
140
90
70

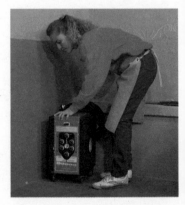

Para que estas máquinas se conserven y trabajen bien durante muchos años, únicamente hay que guardarlas en lugares secos y libres de polvo.

Después de un tiempo conviene limpiarlas con un chorro de aire comprimido.

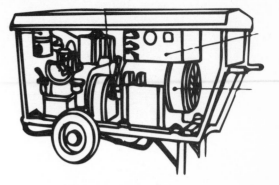

Los generadores son máquinas que producen corriente directa de baja tensión o bajo voltaje. Tienen un motor con un generador del que se obtiene la corriente para soldar. El motor puede ser eléctrico y conectarse a la línea de corriente normal.

O puede ser un motor de gasolina o diesel. Estas máquinas producen un arco muy estable. Aunque son caras, resultan muy útiles en los lugares donde no hay corriente eléctrica. Requieren de un mantenimiento constante.

RECTIFICADORES

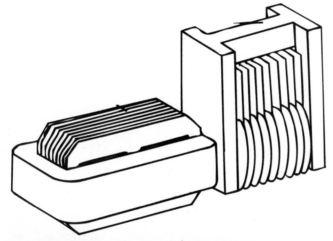

Los rectificadores son esencialmente transformadores que tienen, además, un aparato o rectificador que cambia a corriente directa, la corriente alterna de la línea normal. Algunos rectificadores pueden producir tanto corriente directa como alterna .

El rectificador se considera un aparato más eficiente que el generador, porque proporciona una corriente directa muy estable.

Tiene un ventilador para enfriar las placas rectificadoras.

EQUIPO DE TALLER

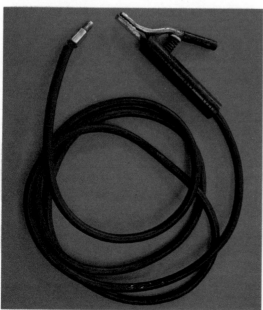

Como parte de la máquina de soldar se utilizan dos cables gruesos cubiertos con aislante; uno va de la máquina al porta-electrodo. Este cable tiene, en un extremo, un borne con el que se conecta a la máquina y en el otro, el porta-electrodo con su mango aislado.

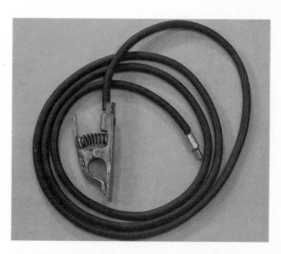

El otro corre de la máquina a la pieza de trabajo o al banco de trabajo, y se conoce como el *cable de tierra*. El cable de tierra tiene, en un extremo, el borne con que se conecta a la máquina y en el otro, unas *pinzas de tierra*.

Cuando se enciende la máquina y el electrodo toca el trabajo, se forma el circuito para la soldadura.

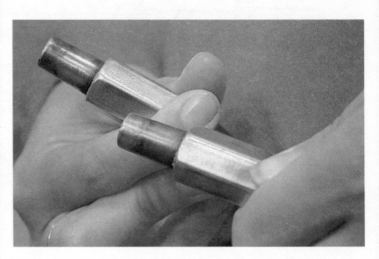

Los bornes son unos conectores de cobre, latón o bronce, de diversas formas.

Las conexiones entre los cables y la máquina deben ser firmes, pues cualquier unión floja puede provocar calentamiento o producir un arco en la conexión.

Los cables se deben mantener limpios para evitar un daño en el aislante.

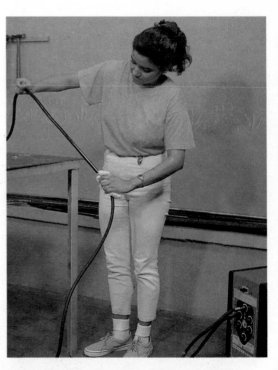

Los cables deben ser del grueso adecuado a la potencia de la máquina para soldar. Un cable de diámetro menor al requerido se calentará y hará que la corriente de salida sea menor.

Largo del Cable y Diámetro Recomendado			
Amperaje de la Máquina	Grueso del Cable para distintos largos		
	Hasta 15 m	De 15 a 30 m	Más de 30 m
100	4	2	2
200	2	1	2/0
300	0	2/0	4/0
400	2/0	3/0	4/0
600	2/0	4/0	4/0

Cada diámetro de cable tiene su largo máximo recomendado. Si se trabaja lejos de la máquina se debe utilizar un cable de mayor diámetro para evitar la caída del voltaje. Pero los cables más gruesos tampoco deben pasar del largo máximo.

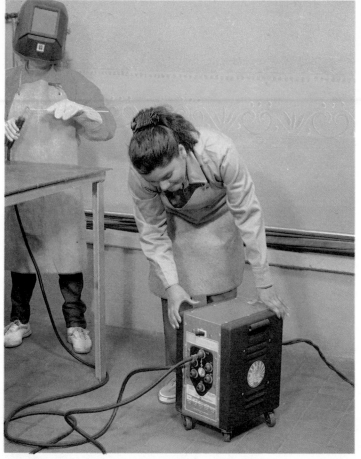

La máquina para soldar debe estar colocada cerca del sitio en que se suelda, pero lo suficientemente apartada para que no la cubra la lluvia de chispas.

Es mejor situarla donde haya circulación de aire, en un sitio libre de polvo.

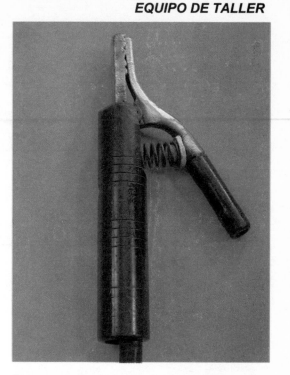

El portaelectrodo es un mango ligero, hueco y aislado que permite un enfriamiento rápido. Debe estar hecho de tal manera que no caliente demasiado la mano del operario.

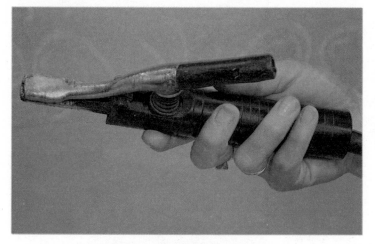

El mango debe estar balanceado y ser lo suficientemente ligero para no producir fatiga.

Tiene un par de mandíbulas con mordazas de cobre con las que se sostiene la punta desnuda del electrodo. Un resorte mantiene firmemente cerradas las mandíbulas. Mediante un gatillo con aislante se abren para cambiar el electrodo.

El portaelectrodo debe recibir y expulsar los electrodos fácilmente.

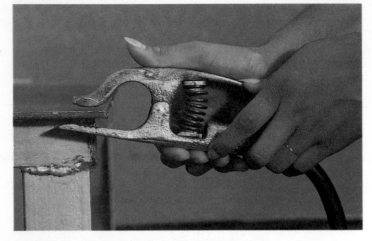

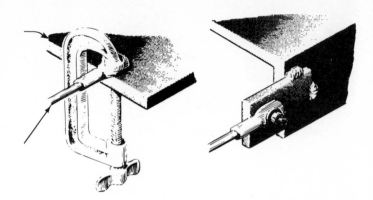

Las pinzas de tierra son dos brazos de cobre con un resorte que mantienen las mandíbulas firmemente cerradas. Con ellas se puede hacer una conexión rápida al trabajo o a la mesa.

Además de con las **pinzas de tierra**, el cable de tierra se puede asegurar a la **pieza o a la mesa** de trabajo por medio de unas **prensas en "C"** o con una zapata soldada.

El banco o mesa para soldar debe ser de metal.

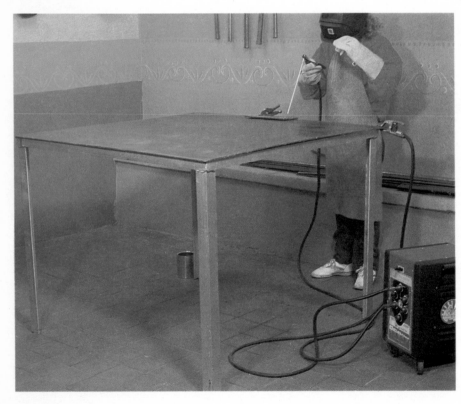

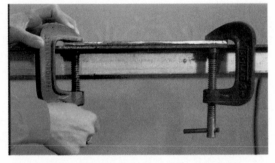

Para **sostener las piezas** de trabajo se requiere**n prensas** en "C".

Para mantener en su posición las piezas que se sueldan también son muy útiles unas pinzas de presión.

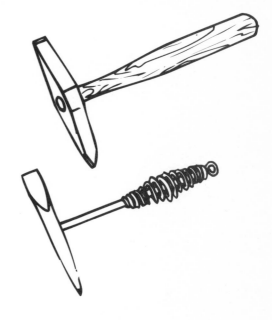

Si se quiere tener una soldadura fuerte, la superficie que se va a soldar debe estar limpia, sin óxido, aceite o pintura. Para limpiarla se utiliza un cepillo de acero con un mango de madera.

Después de depositar un cordón de soldadura hay que quitar la capa de escoria que lo cubre. Esto se hace con un pequeño martillo llamado piqueta, que por un lado termina en punta y por el otro en forma de cincel. También se puede quitar la escoria con un cincel.

Después de picar o quitar la escoria hay que terminar de limpiarla con el cepillo de acero. Si se van a dar varias pasadas es muy importante quitar completamente la escoria porque, de otra manera, quedan porosidades que debilitan la soldadura.

La gran variedad de electrodos que existe sirve para diferentes tipos de trabajo. Conocerlos se hace necesario para poder obtener el máximo provecho de cada uno.

ELECTRODOS

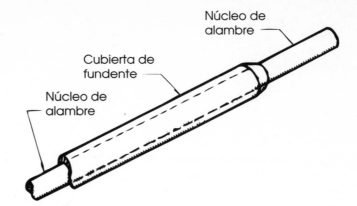

Núcleo de alambre

Cubierta de fundente

Núcleo de alambre

Los electrodos de la soldadura con metal y arco protegido tienen dos partes: el corazón o núcleo y la cubierta de fundente.

El metal del núcleo sirve para llevar la corriente y como material de relleno o aporte en la soldadura terminada. Es la principal fuente de metal para la soldadura.

Para hacer una buena soldadura, el metal del núcleo debe ser lo más parecido o aproximado al metal de la pieza que se suelda.

Por eso, los electrodos se producen con núcleos de diversas aleaciones y metales diferentes. Sin embargo, los más comunes y más baratos son los electrodos para aceros estructurales y de bajo carbono.

También los hay para aceros de alta resistencia, para aceros de diversas aleaciones, así como de aluminio, cobre, latón y bronce.

El núcleo de metal soporta la cubierta o revestimiento del electrodo.

Protección gaseosa

Glóbulos grandes

Pequeñas gotas

La cubierta o fundente del electrodo sirve para varias cosas. Una de las más importantes es producir una cubierta gaseosa durante la soldadura que proteja al arco y al charco de metal fundido, de los gases de la atmósfera, evitando así que el oxígeno y el nitrógeno del aire debiliten la soldadura.

Otra función de la cubierta es depositar una capa de escoria sobre el metal fundido, para protegerlo de los gases de la atmósfera mientras se enfría. La escoria flota sobre la superficie del metal fundido y lo protege.

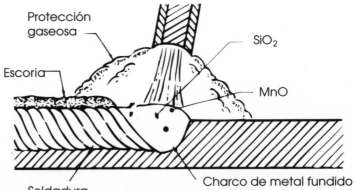

Protección gaseosa

Escoria

SiO_2

MnO

Soldadura

Charco de metal fundido

La cubierta también ayuda a hacer más fácil el inicio del arco. Después lo estabiliza, lo concentra en una zona específica, reduciendo el chisporroteo y el salpicado, con lo que hace más fácil todo el proceso de soldadura. Compensa o devuelve algunos elementos metálicos que pierde la aleación del metal, como consecuencia de la acción del arco.

El revestimiento puede afectar la penetración de la soldadura, que puede hacerse más profunda si el núcleo de alambre se funde más rápido que el fundente. La cubierta forma una pequeña cámara o crisol en la punta del electrodo, parecida a la cámara de combustión de un cohete, haciendo que los gases y el metal fundido salgan muy rápidamente. Con ello, se produce un charco que penetra bastante en el metal que se suelda.

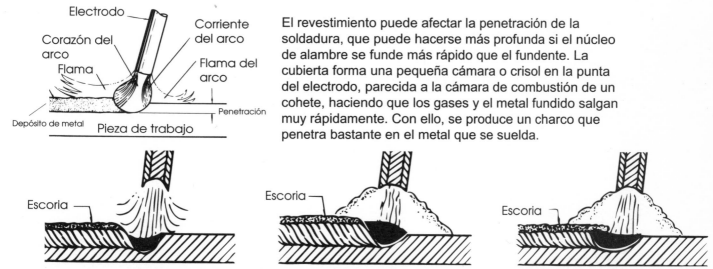

En otros electrodos, en cambio, el chorro es más calmado, menos turbulento y más redondo, pero produce un cordón con menos penetración.

Hay unos electrodos llamados de enfriamiento rápido. En ellos, parte de la escoria se solidifica antes de que se solidifique el metal, y se forma una especie de molde que mantiene el metal fundido en su lugar.

Estos electrodos, que producen un arco muy penetrante, son excelentes para soldar en las posiciones horizontales, verticales o sobre la cabeza.

Características del Electrodo					
Tipo	Clase	Tipo de Corriente	Posición para Soldar	Soldadura Resultante	Grupo del Electodo
Acero duce	E6010	Directa	Todas	Penetración profunda, cordones planos	Enfriamiento rápido
Acero duce	E6011	Alterna	Todas	Penetración profunda, cordones planos	Enfriamiento rápido
Acero duce	E6013	Alterna	Todas	Penetración poco profunda, buen contorno del cordón, poca salpicadura, buena para uniones que no embonan perfectamente	Enfriamiento ligeramente rápido
Polvo de hierro	E7024	Directa Alterna	Plana	Mucha acumulación, buena para pasadas múltiples	Llenado rápido
Bajo hidrógeno	E7018	Directa Alterna	Todas	Para soldar aceros al carbón	Llenado rápido

El hierro en polvo, dentro de la cubierta del electrodo, ayuda a hacer más estable el arco cuando se suelda con corriente alterna, además de que permite trabajar más rápido con buena penetración. Estos electrodos salpican poco y su gruesa capa de escoria se quita muy fácilmente.

ELECTRODOS

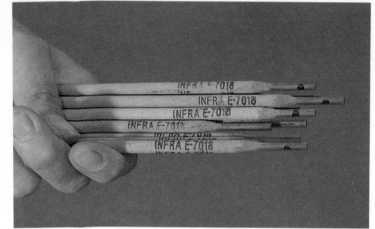

Hay unos electrodos llamados de bajo hidrógeno que se usan para soldar los aceros al alto carbono, los cuales son aceros muy duros, con los que se fabrican algunas herramientas y máquinas.

Cuando los aceros al alto carbono se sueldan, tienden a hacerse porosos y a cuartearse, porque absorben hidrógeno del aire. Los electrodos de bajo hidrógeno evitan la introducción del hidrógeno en la soldadura.

Los diferentes electrodos se identifican principalmente por una clave de letras y números que ha establecido la Sociedad Americana de Soldadores o AWS (American Welding Society), como es más conocida.

E-6013

Los electrodos para soldadura con arco empiezan con la letra E, que significa precisamente que son para soldadura eléctrica.

El último número señala ciertas características del electrodo, tales como el tipo de corriente, el tipo de escoria, el tipo de arco, la penetración de la soldadura, así como ciertas características del revestimiento.

Luego, siguen cuatro a cinco números. Los dos o los tres primeros indican la resistencia mínima a la tracción que tiene una soldadura.

Esos números multiplicados por mil indican la resistencia del metal depositado a la tracción, es decir, a ser jalado antes de que se rompa. Esta resistencia se mide en libras por pulgada cuadrada. Una libra equivale a 453 gramos.

El penúltimo número de la clave indica la posición de soldadura en la cual se puede usar el electrodo.

El número 1 quiere decir que el electrodo sirve para soldar en todas las posiciones.

El número 2 indica que ese electrodo sirve solamente para soldar en posición plana.

El 0 quiere decir que el electrodo es para corriente directa con polaridad invertida. Indica que produce un arco fuerte que tiene una penetración profunda, dejando una cubierta de escoria de celulosa. El revestimiento tiene polvo de hierro.

El número 1 al final indica que ese electrodo es tanto para corriente alterna como directa de polaridad invertida, y produce un arco fuerte con penetración profunda, que deja un cordón cubierto con escoria de celulosa.

El número 2 al final significa un electrodo para corriente alterna o corriente directa con polaridad directa, que produce un arco mediano, de penetración mediana, con una escoria de rutilo.

El número 3 al final quiere decir que se trata de un electrodo que se puede usar en corriente alterna o directa de cualquier polaridad, produciendo un arco suave, de penetración poco profunda, en cordones ligeramente convexos, con una cubierta de escoria de rutilo.

El número 4 significa que el electrodo sirve para corriente alterna y directa, de polaridad invertida, con un arco suave que deja rápidamente depósitos de una penetración ligera, cubiertos de una escoria de rutilo, que se quita fácilmente. El revestimiento tiene polvo de hierro.

El número 5 señala que es un electrodo que sólo se puede emplear con corriente directa de polaridad invertida, que hace un arco mediano de penetración moderada, en cordones planos, ligeramente hundidos, cubiertos con escoria de bajo hidrógeno.

El número 6 indica que se trata de un electrodo semejante al número 5, pero que se puede emplear tanto con corriente alterna, como directa de cualquier polaridad.

El número 7 es un electrodo que se puede emplear con corriente alterna y directa de polaridad invertida, hecho con polvo de hierro, para rellenos rápidos, con un arco suave de penetración mediana que deja escoria de bajo hidrógeno.

El número 8 indica que es para corriente alterna o directa de polaridad invertida, hechos con polvo de hierro y bajo hidrógeno, para una penetración pequeña o mediana, con una cubierta de escoria que se quita rápidamente.

ELECTRODOS

Diámetro de los Electrodos	
En mm	En pulgadas
1.6	1/16
2.0	5/64
2.4	3/32
3.2	1/8
4.0	5/32
4.8	3/16
5.6	7/32
6.4	1/4

Los electrodos se producen en varios diámetros. El diámetro del electrodo es el diámetro del núcleo de metal, sin la cubierta. Los diámetros más comunes son éstos.

En general, se debe usar un electrodo con un diámetro igual al espesor de la placa que se suelda.

Largo de los Electrodos	
En mm	En pulgadas
229	9
305	12
356	14
457	18

Ajuste de la corriente Para los Electrodos E-6010		
Diámetro de los Electrodos		Amperes
En mm	En pulgadas	
2.38	3/32	60-90
3.17	1/8	80-120
3.96	5/32	110-160
4.76	3/16	150-200
5.55	7/32	175-250
6.35	1/4	225-300

También se producen electrodos de varios largos. Los más comunes son éstos.

E6010
Electrodo sólo para máquinas de corriente directa en polaridad inversa, para soldar en todas las posiciones. Es de enfriado rápido, con un arco fuerte, de penetración profunda. Funciona bien cuando la junta está bien preparada y embona bien. Se trabaja bien sobre material viejo que estuvo pintado y oxidado. Se usa en tuberías de presión, tanques, calderas, buques, puentes y edificios.

E6011
Electrodo
similar al
E6010, sólo
que también
se puede
usar en
corriente
alterna.

Ajuste de la corriente Para los Electrodos E-6011		
Diámetro de los Electrodos		Amperes
En mm	En pulgadas	
2.38	3/32	50-90
3.17	1/8	80-130
3.96	5/32	120-180
4.76	3/16	140-200
5.55	7/32	170-250
6.35	1/4	225-325

E6012

Electrodo que puede ser usado en corriente alterna y directa en polaridad directa. Tiene un arco muy estable, con pocas salpicaduras y una penetración mediana. Aun cuando se considera bueno para todas las posiciones, generalmente es usado para la posición horizontal. Es especialmente útil para puntear cuando no hay una buena junta. Funciona mejor en corrientes altas y sobre material nuevo.

Ajuste de la corriente Para los Electrodos E-6012		
Diámetro de los Electrodos		Amperes
En mm	En pulgadas	
2.38	3/32	40-90
3.17	1/8	80-120
3.96	5/32	120-190
4.76	3/16	140-240
5.55	7/32	180-315
6.35	1/4	225-350

Ajuste de la corriente Para los Electrodos E-6013		
Diámetro de los Electrodos		Amperes
En mm	En pulgadas	
2.38	3/32	30-80
3.17	1/8	80-120
3.96	5/32	120-190
4.76	3/16	140-240
5.55	7/32	225-300
6.35	1/4	250-350

E6013
Es muy parecido al E6012 pero con menos penetración. Trabaja bien en todas posiciones y funciona excepcionalmente bien con la corriente alterna. El arco se puede encender y mantener fácilmente, particularmente con electrodos de poco diámetro. Su cordón es notablemente plano, por lo que se puede usar para soldar lámina o placa. La escoria se desprende fácilmente. Es probablemente el electrodo más popular. Se usa para la herrería en general.

ELECTRODOS

Ajuste de la corriente Para los Electrodos E-7018		
Diámetro de los Electrodos		Amperes
En mm	En pulgadas	
2.38	3/32	70-120
3.17	1/8	100-150
3.96	5/32	120-200
4.76	3/16	200-275
5.55	7/32	275-350
6.35	1/4	300-400

E7018

Este es un electrodo rápido, de poca penetración, que deja una capa de escoria gruesa que se puede quitar fácilmente. De hecho, el metal fundido es más protegido por la escoria que por los gases. Como tiene poca penetración no se debe usar para soldar cuarteaduras. El revestimiento de estos electrodos se descompone rápidamente en contacto con la humedad.

E7024

Es un electrodo con un fundente de rutilo y un 50% de hierro en polvo, con lo que produce un arco muy estable, que tiene una penetración profunda y un llenado abundante y rápido. Deja una capa de escoria gruesa fácil de quitar.

Su capa de fundente es tan gruesa que se puede usar la técnica de arrastre, la cual permite hacer buenas soldaduras con poca experiencia.

Es excelente para depositar muchas capas de relleno, pero sólo se recomienda para soldar en plano y horizontal.

Ajuste de la corriente Para los Electrodos E-7024		
Diámetro de los Electrodos		Amperes
En mm	En pulgadas	
2.38	3/32	90-120
3.17	1/8	120-150
3.96	5/32	180-230
4.76	3/16	250-300
5.55	7/32	350-400
6.35	1/4	400-500

Clasificación de Electrodos según el metal a soldar	
Clave	Tipo de metal
A5.1	aceros al carbon
A5.3	aluminio y aleaciones de aluminio
A5.4	aceros inoxidables
A5.5	aceros de baja aleación
A5.6	cobre yaleaciones de cobre
A5.11	níquel
A5.15	hierro colocado

Hay electrodos para diversas clases de aceros, tales como los aceros inoxidables y los aceros al alto carbono, así como metales no ferrosos. Hay una clave para su identificación.

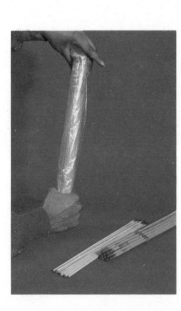

La mayoría de los electrodos son caros, por lo que una vez adquiridos se deben conservar bien.
Los revestimientos son particularmente sensibles a la humedad, de la que hay que mantenerlos aislados, pues se degradan muy fácilmente.
Deben guardarse en lugar seco, a temperatura normal, en envases de plástico cerrados.

Para aprender y desarrollar la habilidad de soldar conviene seguir una serie de pasos de entrenamiento.
No se debe aprender directamente sobre un trabajo porque seguramente se echará a perder, resultará más costoso que el gasto de soldadura y placa que requiere el proceso de aprendizaje.

PRINCIPIOS BÁSICOS

Lo primero es aprender a iniciar un arco.

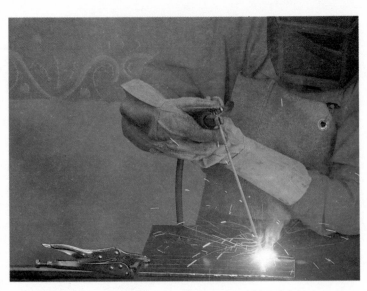

Lo segundo es aprender a correr un cordón de soldadura.

Finalmente, hay que practicar la soldadura en diversos tipos de unión.

Hecho lo anterior se tendrá la habilidad y se estará listo para comenzar a hacer soldadura en trabajos concretos, sin el riesgo de echarlos a perder.
La calidad de una soldadura depende de la habilidad del soldador. El desarrollo de las habilidades requiere de práctica y paciencia. Para practicar lea primero este manual completo, y luego haga las prácticas que se sugieren.

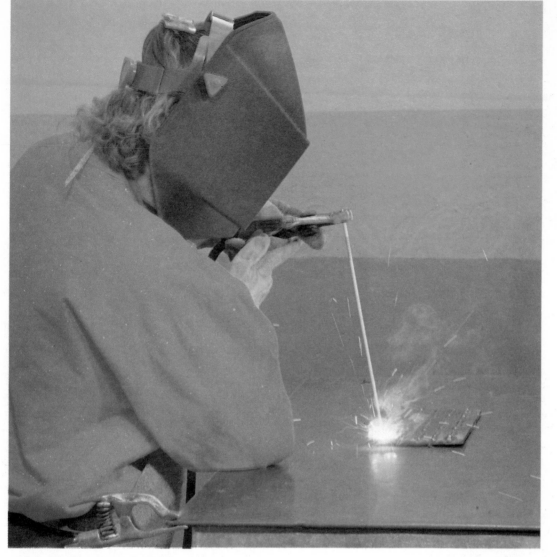

Para hacer una buena soldadura se necesitan cinco cosas: tener el ajuste correcto de la corriente de la máquina, mantener el arco con el largo correcto, mantener el arco en el ángulo correcto, mover el electrodo a la velocidad correcta y, finalmente, elegir el electrodo correcto.

AJUSTE DE LA CORRIENTE

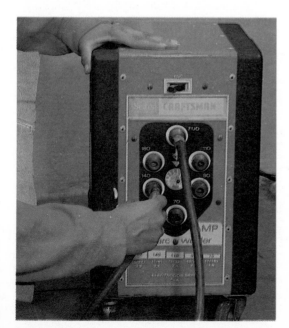

La máquina se debe ajustar a la cantidad de corriente adecuada para el diámetro y tipo de electrodo que se va a usar.

Rango de Amperaje para Soldar				
Electrodo	Clasificación			
Tamaño	E6010	E6011	E6012	E6013	E7018
3/32 o 2.4mm	40-80	50-70	40-90	40-85	70-110
1/8 o 3.2mm	70-130	85-125	75-130	70-120	90-165
5/32 o 4mm	110-165	130-160	120-200	130-160	125-220

Para cada electrodo hay un rango de amperaje dentro del cual se debe trabajar.

Si se suelda con una corriente más baja no se produce suficiente calor para fundir bien la base de metal.

Queda entonces un cordón encima del metal que tiene muy poca fusión y poca o ninguna penetración.

Con la corriente muy baja, el arco se produce sólo a una distancia muy corta de la placa, con lo que el electrodo se pega muy fácilmente a ella.

Además, al ser el arco tan pequeño, la cubierta de gas protector no es suficiente para proteger la soldadura de la contaminación de los gases del aire.

Un arco pequeño produce un charco muy chico, que no se derrite lo suficiente, y queda gas o escoria dentro de la soldadura.

Por otro lado, el núcleo de alambre no soporta bien una corriente mayor que la que debe llevar.

Si se aumenta la corriente el alambre se calienta y algunas de las sustancias de la cubierta se queman demasiado pronto.

Al quemarse esos elementos, el arco se vuelve poco estable, salpica mucho y deja sólo un cordón poroso, con incrustaciones de escoria.

PRINCIPIOS BÁSICOS

Un cordón hecho con demasiado amperaje es ancho y plano, con una penetración profunda. Las salpicaduras que deja son muchas y difíciles de quitar. Una corriente excesiva produce un charco muy grande, pero con poca acumulación de material.

Si se hace un cordón de soldadura cambiando el amperaje, se puede ver con toda claridad el efecto del amperaje más bajo o más alto de lo normal para cada electrodo.

La longitud del arco es la distancia que el arco debe saltar hasta la placa. Esta distancia, generalmente, debe ser la misma que el diámetro del núcleo del electrodo.

Conforme se hace la soldadura el electrodo se consume y acorta. Para mantener constante el tamaño del arco, el electrodo debe bajarse continuamente.

Si el arco se mantiene razonablemente constante, sólo con pequeñas variaciones del pulso que estén dentro de su rango de tolerancia, se conservará estable.

55

LONGITUD DEL ARCO

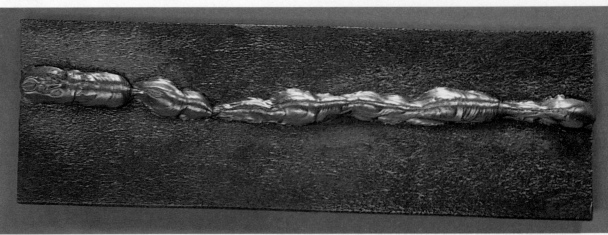

Pero si el movimiento de la mano se sale de la tolerancia, la soldadura resultante será defectuosa.

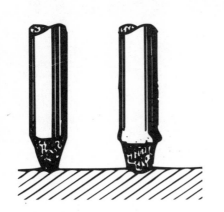

Así, un arco muy corto produce un cordón muy estrecho con gran acumulación de material.

Los arcos demasiado grandes son inestables. Salpican mucho porque el metal que salta a través del arco puede caer fuera del charco de metal fundido.

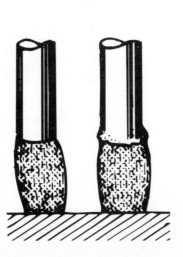

En ese caso, se produce un cordón ancho con muy poca acumulación y sin penetración.

En un arco largo los gases no pueden proteger el charco de la contaminación de la atmósfera, por lo que la soldadura queda con impurezas que la debilitan.

Ni el arco corto ni el arco largo producen el calor necesario para hacer una buena soldadura.

PRINCIPIOS BÁSICOS

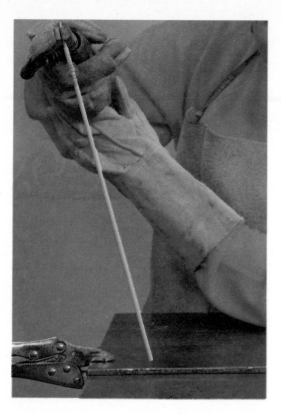
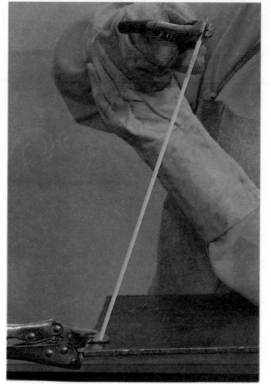

El ángulo del electrodo es el ángulo en que éste se sostiene durante el proceso de soldadura. El ángulo adecuado asegura la penetración adecuada y la formación de un buen cordón.

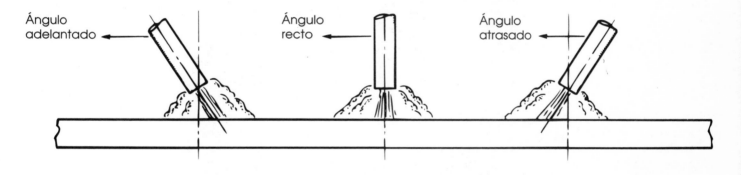

Ángulo adelantado ←

Ángulo recto ←

Ángulo atrasado ←

Hay dos posiciones desde las que se considera el ángulo: una es el ángulo de trabajo y otra es el ángulo de viaje. El ángulo de viaje es la inclinación del electrodo hacia adelante o hacia atrás, respecto de la línea de la soldadura. Este ángulo puede variar de 5 grados a 30 grados de la vertical.

El ángulo de trabajo es el ladeo del electrodo hacia la izquierda o derecha de la línea de la soldadura. En las soldaduras horizontales el ángulo de trabajo generalmente es el ángulo recto.

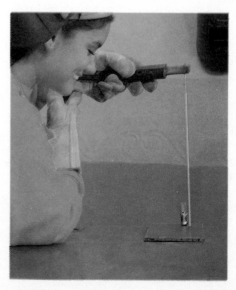

Pero en la soldadura en "T" la inclinación puede ser a 45 grados.

El ángulo es importante, porque hay un chorro de fuerza que empuja el fundente desde la punta del electrodo hasta la placa y algunos electrodos tienen una fuerza de chorro muy grande.

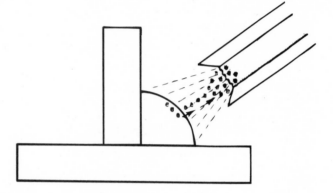

Sobre la dirección del viaje se pueden considerar tres ángulos: el ángulo recto, el ángulo adelantado o hacia adelante y el ángulo retrasado o hacia atrás.

Dirección del viaje

Electrodo

Cordón de soldadura

El ángulo adelantado empuja el metal y la escoria por delante de la soldadura.

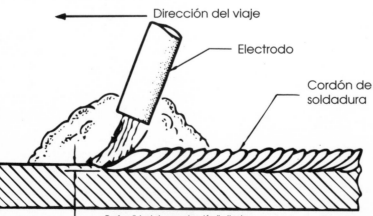

Profundidad de penetración limitada

Con este ángulo hay que tener cuidado, porque el metal sólido de adelante de la soldadura se puede enfriar y, entonces, solidificar el relleno fundido y la escoria antes de que el electrodo pueda fundir el metal sólido.

Al pasar el electrodo sobre esta área, el calor del arco puede no fundirla, y como resultado se quedan algunas inclusiones de escoria.

Ángulo muy adelantado

Ángulo adelantado

Ángulo recto

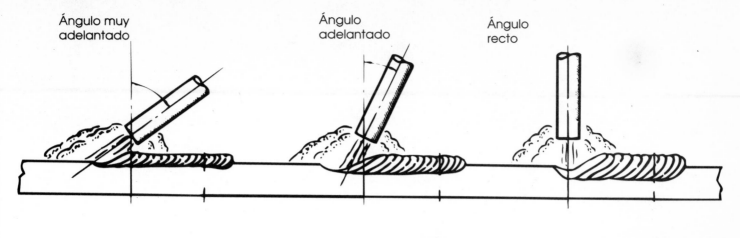

Para evitar los residuos incrustados utilice el menor ángulo adelantado posible. Asegúrese de que el arco funda completamente la base de metal y utilice un tipo de electrodo que haga poca acumulación o depósito.

Mueva el arco de adelante hacia atrás a lo largo del charco, para fundir ambos extremos.

Un ángulo adelantado puede usarse para minimizar la penetración o para ayudar a mantener el metal en su lugar en soldaduras verticales.

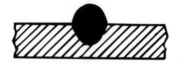

El ángulo rezagado o atrasado empuja el metal lejos del borde de avance del charco, hacia atrás, donde se solidifica.

Conforme el metal fundido es empujado lejos del fondo de la soldadura, el arco funde más de la base del metal, lo que resulta en una penetración más profunda.

El metal fundido empuja hacia atrás la soldadura donde se solidifica y forma un refuerzo.

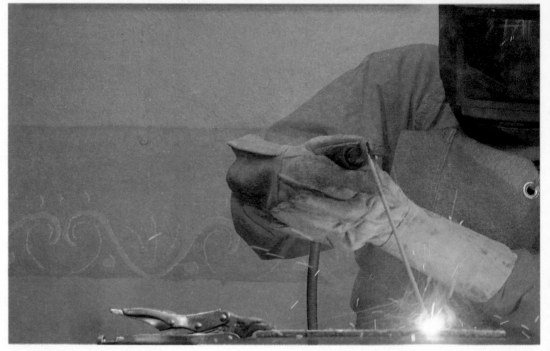

La velocidad del viaje es la velocidad a la que se mueve el electrodo a lo largo de la soldadura.

Si el viaje es muy rápido las impurezas quedan atrapadas en la soldadura y dejan un cordón angosto, con las ondas puntiagudas.

Si el viaje es muy lento el metal se acumula en exceso y el cordón es muy alto, con las ondas casi rectas.

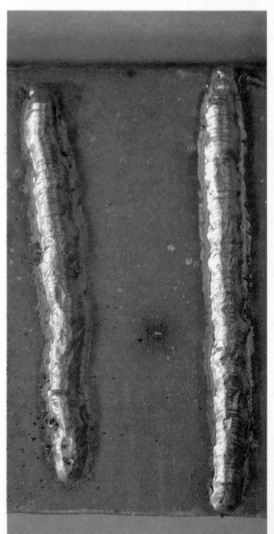

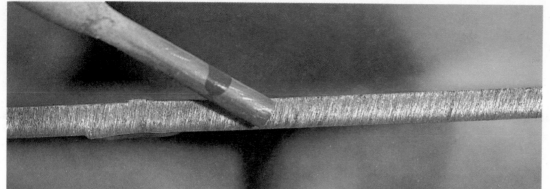

La selección de un electrodo implica tomar en consideración la posición en que se va a soldar, el espesor del metal que se va a soldar y el tipo de unión. Esta selección la determina, en gran parte, la experiencia del soldador.

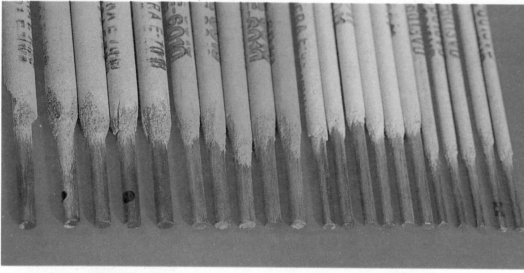

El uso de un electrodo con un diámetro menor requiere de menos habilidad por parte del soldador. La cantidad de metal que deposita es menor y la velocidad de la soldadura es más lenta.

Aunque con los electrodos de diámetro pequeño se producen soldaduras aceptables sobre placas gruesas, el tiempo que se necesita para lograrlas es mucho mayor.

Si se utilizan electrodos de mayor diámetro sobre láminas delgadas se puede producir un calentamiento excesivo en la lámina. Para corregir el calentamiento excesivo se pueden hacer varias cosas, como disminuir el amperaje de la máquina, o bien, usar un arco más corto, o también, hacer un viaje más rápido o usar un electrodo menor con una corriente menor.

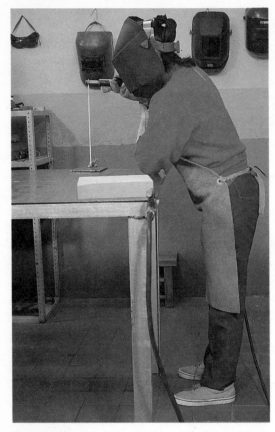

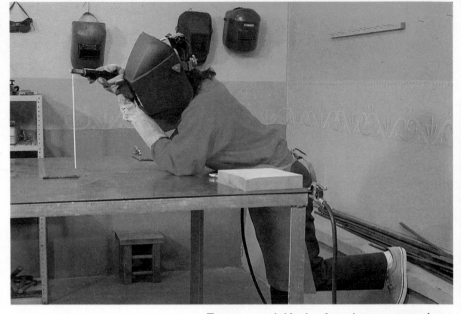

En una posición incómoda se cansará, se forzará y hará movimientos torpes que, normalmente, producirán soldaduras de baja calidad.

Para soldar hay que estar relajado y en una posición cómoda. La comodidad de la posición es importante para el soldador y para la soldadura.

Al soldar tiene que haber libertad de movimientos para hacer la soldadura, de manera que durante ella, el soldador no necesite cambiar de posición.

Los cambios de posición del cuerpo se deben hacer sólo durante los cambios de electrodo o al terminar una soldadura.

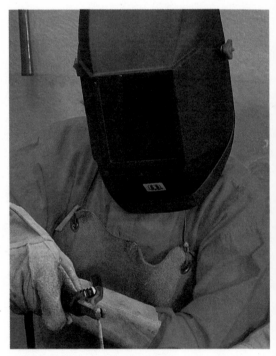

El problema es que la soldadura con arco se tiene que hacer con una careta y al bajarla el soldador no ve.

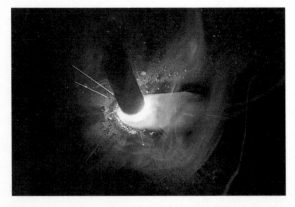

Al encender el arco el soldador puede verlo y ver también una área muy limitada alrededor del charco.

En estas condiciones de oscuridad es muy fácil moverse o balancearse sin darse cuenta. Para evitarlo hay que apoyarse sobre o contra un objeto estable.

Una de las mejores maneras de apoyarse es contra la propia mesa de trabajo. Antes de comenzar a soldar haga un ensayo con la máquina apagada.

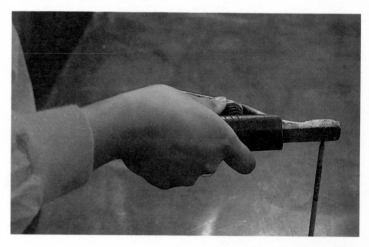

Tome el portaelectrodo con su mano derecha o con la izquierda, si es zurdo.

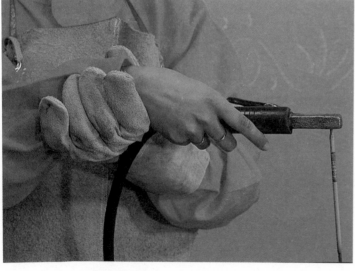

Agarre su muñeca derecha con la mano izquierda.

Coloque el codo izquierdo sobre el banco de soldar.

Alinee el electrodo con el metal que va a soldar.

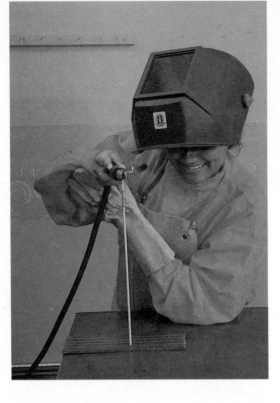

Use el codo izquierdo como pivote y practique el movimiento a lo largo del metal. Generalmente se suelda de derecha a izquierda. Cuando se es zurdo se suelda al revés, de izquierda a derecha.

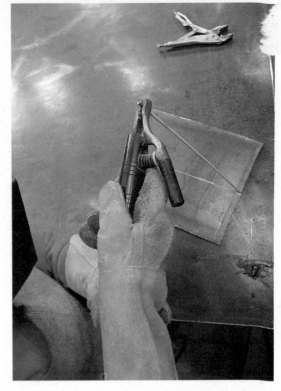

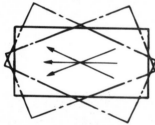

Algunos soldadores encuentran más cómodo hacer los cordones de manera enteramente paralela al borde de la mesa que tienen enfrente. Para otros, es más cómodo que la pieza esté ligeramente desviada hacia uno u otro lado.

Ensaye para descubrir cuál es la posición que a usted le resulta más cómoda. Gire la pieza y vea en cuál posición le resulta más natural seguir la línea de la soldadura.

Enseguida hay que ensayar la manera de protegerse la cara y los ojos. Póngase el casco o careta en la cabeza y compruebe que le ajuste bien. Ponga la careta completamente arriba de su cabeza.

Tome el electrodo y colóquese en la posición en que va a trabajar, con su mano izquierda tomando la muñeca de la derecha y el codo apoyado sobre la mesa. El electrodo debe estar en el sitio en que se va a iniciar el arco.

PRINCIPIOS BÁSICOS

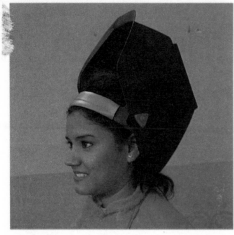

Mantenga el casco completamente arriba de la cabeza.

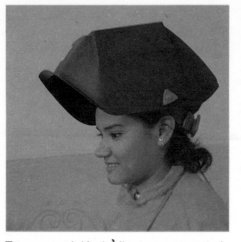

En esa posición incline suavemente la cabeza para que el casco baje ligeramente.

Siga inclinando la cabeza, hasta que la careta baje y quede frente a su cara.

Levante otra vez la cabeza y repita hasta que le resulte siempre bien y fácil.

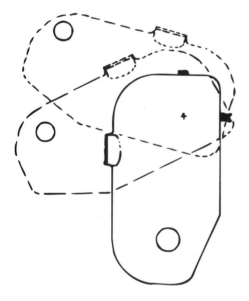

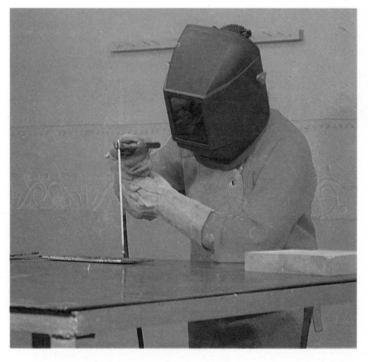

Esta manera de colocar la careta frente a sus ojos permite que ocupe sus dos manos en el trabajo y que coloque el electrodo, todavía viendo, en la posición exacta para iniciar el arco.

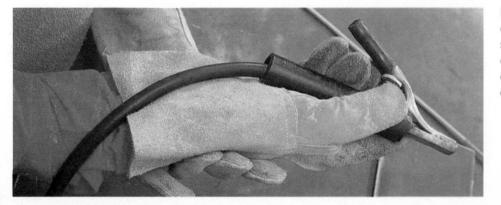

Para que el electrodo se sienta más ligero el cable puede colocarse sobre el antebrazo.

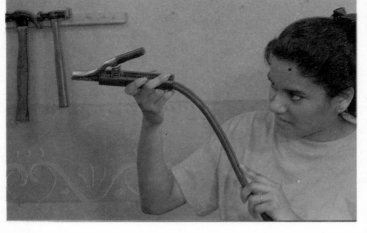

Antes de comenzar a soldar revise que los cables de la máquina estén en buen estado.

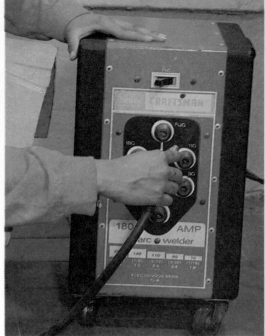

Enseguida, ajuste la máquina al amperaje necesario para el electrodo que vaya a usar.

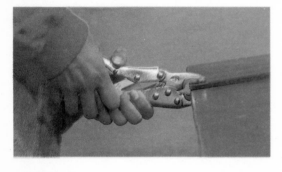

Acomode y prense, en un lugar cómodo, la pieza de trabajo.

Para la práctica prepare varias placas de unos 15 cm de largo por 5 cm de ancho y 4.7 a 6.3 mm (o sea de 3/16" a 1/4") de espesor. Si quiere, puede usar placas un poco más grandes. Utilice un electrodo de 3 mm o sea 1/8 de pulgada, E6011 o E6013.

Conecte la pinza de tierra a la mesa o a la pieza de trabajo.

Ponga la punta del electrodo en el porta-electrodo.

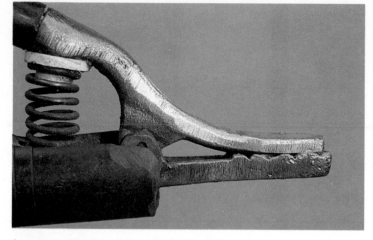

Las mandíbulas del portaelectrodo siempre deben estar limpias para que hagan un buen contacto con el electrodo.

Tenga cuidado de no tocar directamente la mesa de trabajo con la parte sin aislante del portaelectrodo, ya que se produciría un chispazo.

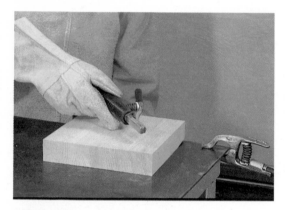

Cuando no use el portaelectrodo colóquelo en un lugar protegido y propio para él.

Sostenga el electrodo sin apretarlo fuerte porque se cansará muy pronto.

Colóquese el casco y póngase en posición para iniciar la soldadura.

Iniciar un arco significa tocar el metal que se va a soldar con la punta del electrodo, para que se forme un arco o chispa.

Hay dos métodos para iniciar un arco: el de golpe y el de raspado o rayado.

El de golpe es el que prefieren los soldadores experimentados.

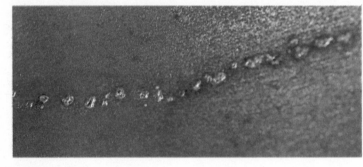

El rayado es mejor para principiantes, sin embargo, tiene el problema de que puede dejar picaduras en el metal, pues se trata de una especie de fósforo o cerillo gigantesco.

Coloque la punta del electrodo unos 2 cm arriba del metal, completamente vertical o ligeramente inclinado.

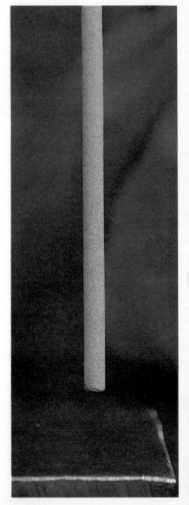

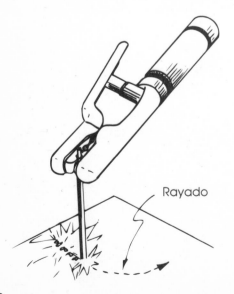

Rayado

Baje la careta frente a sus ojos. Baje un poco más el electrodo y frótelo con rapidez y suavidad sobre el metal, sólo con el movimiento de la muñeca.

Si el arco se forma correctamente se producirá una centella de luz.

En ese preciso momento hay que levantar el electrodo rápidamente a unos 5 mm del metal, formando el arco.

Allí se sostiene unos 10 segundos y luego se baja a una distancia de la placa igual al diámetro del electrodo, que en este caso es de 3 mm.

Si el electrodo se separa demasiado del metal, el arco se extinguirá.

Si el electrodo no se levanta, se pegará al metal.

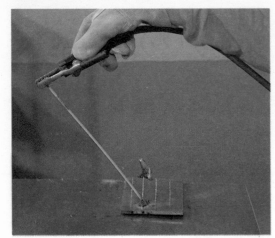

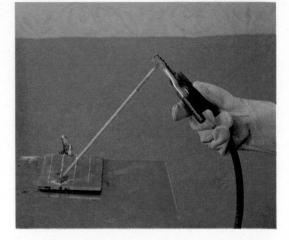

Si el electrodo se suelda a la placa o se pega, inclínelo hacia un lado y otro, jalando mientras menea varias veces. No toque el electrodo con las manos.

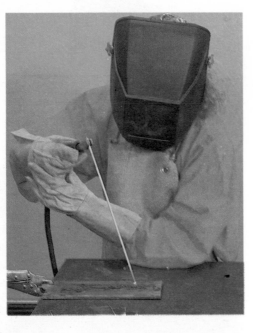

Practique hasta que pueda hacer fácilmente la iniciación del arco con el método del raspado. Recuerde que el electrodo con el que es aconsejable que practique es el E6011 o E6013 de 3mm de diámetro, o sea, de 1/8 de pulgada.

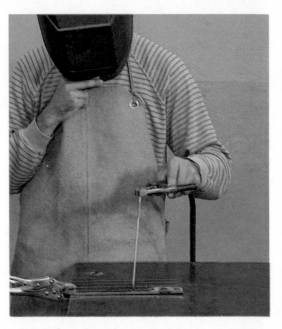

A continuación, pruebe a iniciar el arco con el método de golpe.

Coloque el electrodo 2 cm arriba del metal, en posición vertical o apenas inclinado.

Coloque su careta frente a los ojos.

Mueva el electrodo hacia abajo hasta que toque el metal y aparezca la centella.

Inmediatamente, suba el electrodo unos 5 mm y mantenga esa distancia con el arco unos 10 segundos. Luego, baje el electrodo hasta que quede a 3 mm del metal que va soldar.

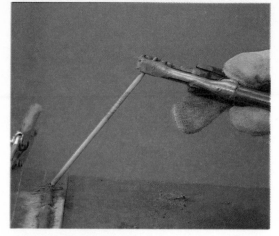

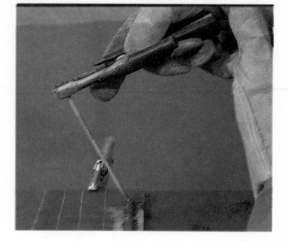

Si no levanta el electrodo con la rapidez necesaria se pegará al metal.

Para despegarlo incline de un lado a otro el electrodo, mientras lo jala. Recuerde que no debe tocarlo con las manos.

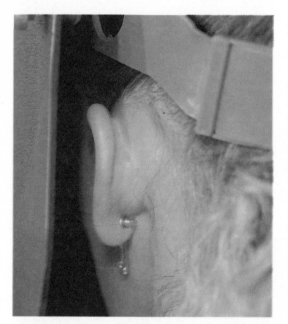

Además de con la vista, ayúdese con el sonido del arco. Cuando el electrodo está muy lejos del metal se oye un silbido o siseo y el arco se acabará de un momento a otro. Si el arco es muy corto, es un sonido como de chapoteo. Cuando se trabaja a la distancia correcta se oye un chasquido continuo.

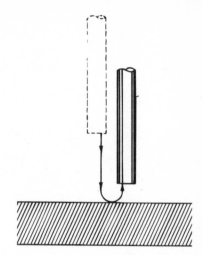

Repita el encendido de golpe hasta que pueda formar el arco cada vez que lo intente.

CHARCO Y CRÁTER

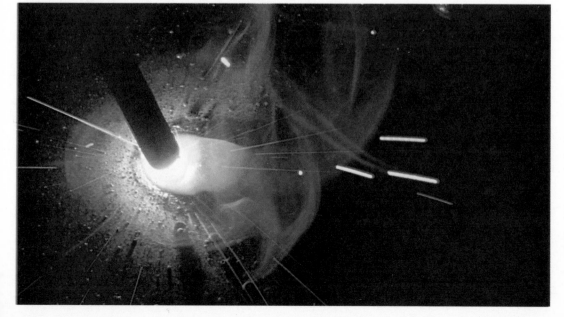

Cuando el arco entra en contacto con la base de metal se forma un charco de metal fundido, que también se llama cráter.

El tamaño y la penetración del cráter indican la penetración de la soldadura dentro del metal base, que debe ser entre la mitad y un tercio del grueso del cordón o depósito de soldadura.

En el cráter, el metal del electrodo se debe fundir completamente con la base de metal.

La fusión sólo se logra cuando el metal base se ha calentado y licuado y el metal fundido del electrodo escurre hacia él.

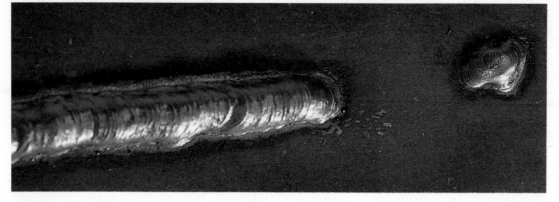

La soldadura se hace a base de puntos y cordones.

Los puntos son soldaduras pequeñas localizadas en un sólo sitio, sin correr o mover el arco con el electrodo.

El cordón es el depósito de soldadura que se hace al correr o mover el arco con el electrodo.

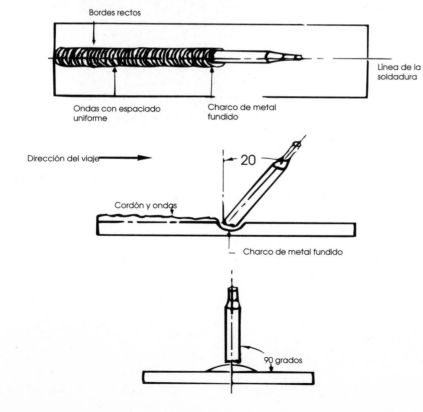

Bordes rectos

Línea de la soldadura

Ondas con espaciado uniforme

Charco de metal fundido

Dirección del viaje

20

Cordón y ondas

Charco de metal fundido

90 grados

Los cordones rectos, simples, sin movimiento de costura, son los que se deben practicar primero. Estos cordones se hacen sobre una placa de metal. No unen dos o más piezas, sino que son, simplemente, cordones de ejercicio, por los que hay que comenzar.

Conviene practicar estos cordones simples en las diferentes posiciones, antes de intentar soldar una junta. El objeto de hacer estos cordones es aprender a mantener la longitud del arco y el ángulo del electrodo. Además, son la base para iniciarse en el dominio de los patrones de costura.

Otra de las funciones importantes de la práctica con cordones rectos es desarrollar la habilidad de ver toda el área de la soldadura. Al principio, sin experiencia, solamente se ve el arco.

Con la práctica se llegan a ver partes del charco y después de un poco más, se aprende a ver ambos lados del charco, ver la escoria y la acumulación del cordón.
A este nivel, el soldador ya casi ni nota el arco, pues sólo ve los resultados.

Se pueden practicar varios cordones en una sola placa.

También conviene que haga la misma práctica utilizando primero un tipo de electrodo, para después, ya que se domine ése, practicar lo mismo con otros tipos y tener el dominio y la experiencia de su comportamiento diverso.

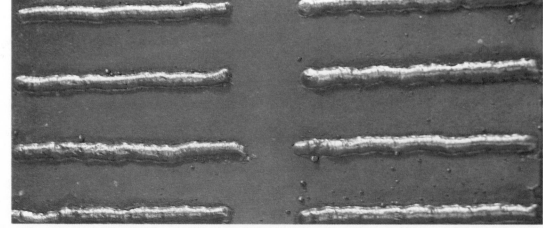

Sugerimos que se comience por los electrodos del grupo E6010 y E6011 que tienen fundentes a base de celulosa y como consecuencia, tienen un arco muy fuerte, que deja poca escoria. A pesar de que el arco es difícil, la poca escoria es una ventaja para el principiante, porque se puede ver mejor lo que se hace, pues no hay una capa gruesa que lo cubra.

Enseguida, practique con los electrodos del grupo de E6012 y E6013, que tienen fundentes a base de rutilo y producen un arco suave, dejando una gruesa capa de escoria.

Finalmente, si puede, practique con electrodos E7018 que tienen un fundente a base de minerales, con el que producen un arco suave y fácil, que deja sobre el cordón una capa de escoria pesada. Son los que se deben utilizar al último, a pesar de ser los más fáciles de manejar y los que producen la soldadura con mejor apariencia. Sin embargo, es difícil hacer con ellos soldaduras fuertes.

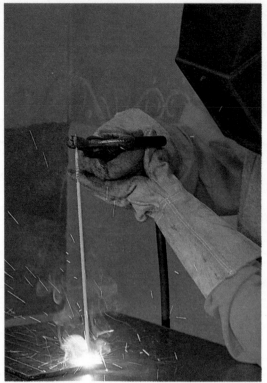

Comience en un extremo de la placa y haga la soldadura a todo lo largo.

Vea el charco en la punta del electrodo. Conforme sea más hábil, le será más fácil ver el charco.

Corra cordones paralelos a intervalos de 2 cm, hasta que los haga bien y totalmente uniformes.

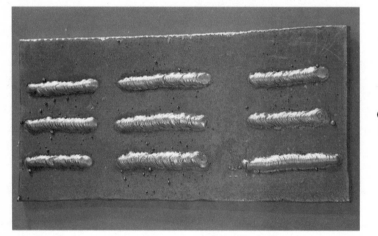

Mientras hace los cordones y después de que los haya hecho, debe aprender a ver los defectos de la soldadura. Si el amperaje es correcto debe tener un ancho parejo.

Pero si el amperaje es bajo, el cordón será estrecho y con poca penetración.

Un arco corto produce poca penetración

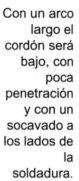

Si la corriente es excesiva se produce un cordón ancho y bajo, con muchas salpicaduras de metal a los lados.

Con un arco largo el cordón será bajo, con poca penetración y con un socavado a los lados de la soldadura.

Un viaje muy lento dejará un cordón muy ancho y muy acumulado, con las ondas casi rectas.

Una soldadura con viaje muy rápido deja un cordón bajo y estrecho, con las ondas puntiagudas.

Todas estas características se pueden ver mientras se está haciendo la soldadura. Al verlas se pueden corregir, cambiando la longitud del arco o la velocidad del viaje.

Cordón normal, con velocidad, longitud del arco y velocidad correctas

Cordón con amperaje bajo

Cordón con demasiado amperaje

Cordón con arco muy corto.

Cordón con arco muy largo

Cordón a velocidad muy lenta

Cordón a velocidad muy rápida

Ya que esté satisfecho con los cordones que logra usando el electrodo E6011, cambie al electrodo E6013 y practique los cordones rectos, hasta que le queden bien y uniformes.

Enseguida, practique los cordones sobre una superficie plana, pero con movimiento de costura.

El movimiento de costura es para aumentar el ancho y el volumen del cordón.

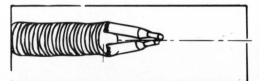

Hay varios movimientos de costura entre los cuales cada soldador elige y usa el que más le conviene, pues es una cosa de gusto personal. Sin embargo, algunos movimientos particulares son especialmente útiles para soldaduras específicas.

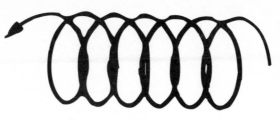

El movimiento circular se usa para soldaduras en la posición plana, en uniones a tope, en esquinas exteriores y para rellenar.

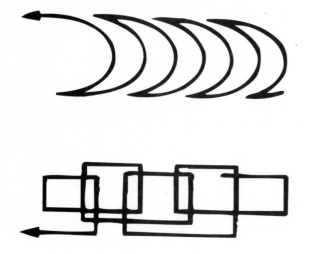

La costura en "C" y en cuadrado son buenas para la mayoría de las soldaduras planas, pero fundamentalmente se deben usar en las posiciones verticales o cuando hay una separación grande entre las piezas.

La costura en "J" trabaja bien en soldaduras planas, en solapas y en todas las juntas verticales y horizontales a tope y a solapa.

La costura en "T" funciona bien en soldaduras a filete, en las posiciones verticales y sobre la cabeza

La costura recta puede usarse en pasadas múltiples, en todas las posiciones.

Los patrones en ocho y en zigzag se usan para relleno en la posición plana y en la vertical. Esta costura deposita mucho material.

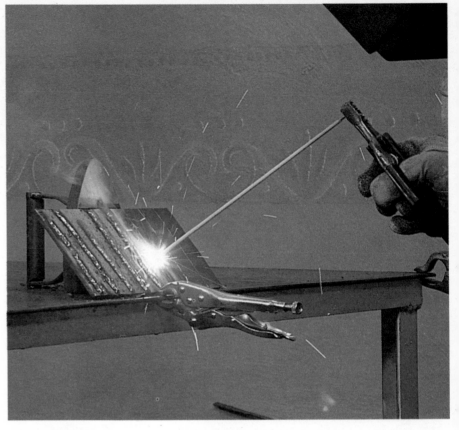

Una vez que domine los cordones rectos y con costura en la posición plana, practique, con los mismos dos electrodos en una posición vertical.

Sin embargo, no comience con la placa enteramente vertical, sino en un ángulo de 45 grados, donde es un poco más fácil trabajar, a la vez que ya comenzará a sentir los problemas de la soldadura vertical.

Dibuje en una placa varias rayas con un gis y colóquela para hacer varios cordones, inclinada a 45 grados.

Inicie el arco en la parte baja de la primera línea de la izquierda.

Comience a subir el cordón con un movimiento de costura en "C".

Si el metal fundido comienza a abombarse, lo que ocurre poco antes de que comience a escurrir el metal, aumente la velocidad del viaje y cuide de hacer bien los movimientos de la costura.

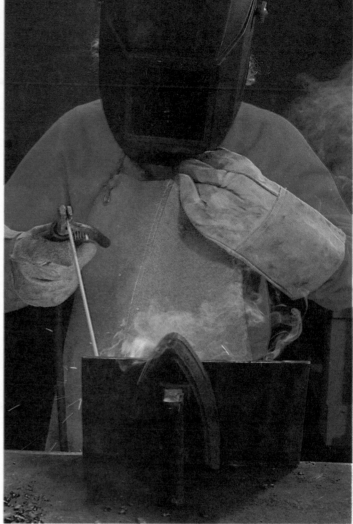

En la soldadura con el metal en posición vertical, la placa recibe el metal en posición vertical pero el electrodo se coloca en una posición cercana a la horizontal.

Con el metal en posición vertical el electrodo debe correr casi perpendicular a la placa.

Cuando ya domine la soldadura a 45 grados coloque la placa en la posición vertical.

Enfríe la placa y quite la escoria de la soldadura terminada para poder ver los resultados con toda claridad.

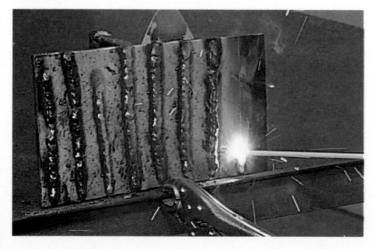

También es importante quitar la escoria cuando se necesita depositar más capas de soldadura.

Para quitar la escoria se golpea con un martillo especial llamado piqueta.

La escoria también se quita con la punta de un cincel, dirigiendo los golpes lejos del cuerpo y los ojos.

Siempre que se quite la escoria se deben proteger los ojos con gafas de seguridad.

No golpee el cordón demasiado fuerte porque puede maltratar la soldadura.

Después, arrastre la punta del martillo o del cincel a lo largo de la soldadura para terminar de desprender el resto de la escoria. Al final, pase un cepillo de alambre de acero.

PRINCIPIOS BÁSICOS

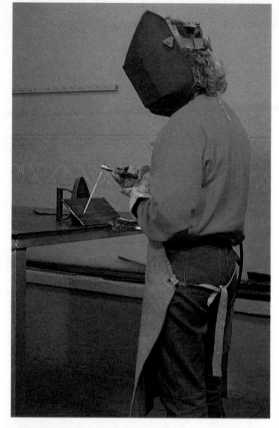

Usando el mismo ajuste de la máquina, practique cordones en posición horizontal.
Al principio hágalo con la placa ligeramente inclinada.

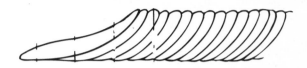

Utilice el patrón de costura en "J". El metal se deposita mientras se hace el movimiento de subida para formar el palo recto de la "J".

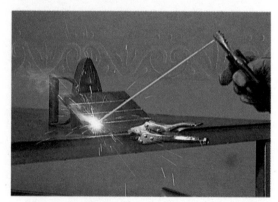

Si el electrodo se inclina hacia arriba se depositará más metal a lo largo del borde inferior de la soldadura.

Si se hace un cordón pequeño, la tensión superficial mantendrá el charco en su lugar.

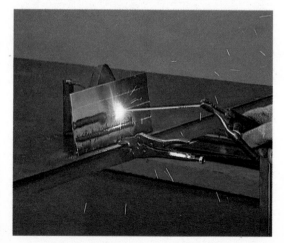

Poco a poco, aumente el ángulo de la placa, hasta que quede vertical y el cordón quede completamente horizontal.

Practique el cordón horizontal con los dos tipos de electrodos hasta que haga buenos cordones constantemente.

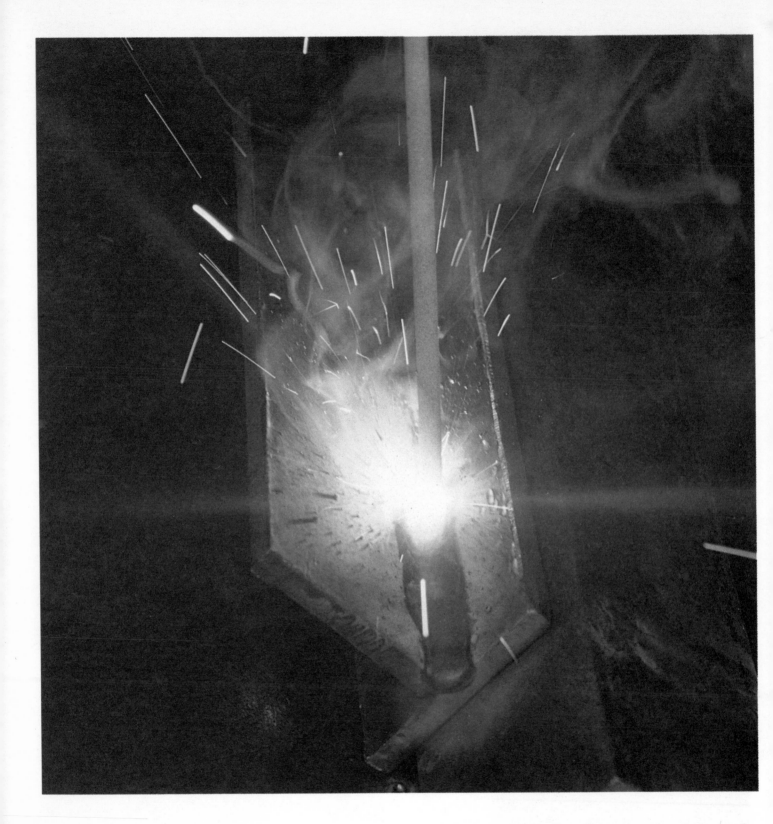

Soldar significa unir sólidamente dos o más objetos de metal. Estos objetos generalmente son placas de metal o perfiles de acero.

UNIONES BÁSICAS

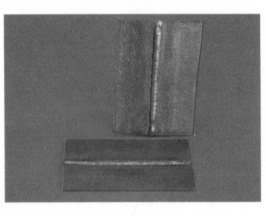

La forma en que se unen estas piezas cae dentro de tres clases. Éstas son: la unión a tope, la unión a solapa y la unión en "T". Estas tres clases de uniones se conocen como uniones básicas.

Cada una de estas uniones básicas requiere de una técnica de soldadura ligeramente distinta.

Además, cada una de esas uniones puede estar en posición plana, vertical, horizontal o sobre la cabeza. También, cada posición de cada unión básica requiere de una técnica de soldadura ligeramente diferente una de otra.

En este capítulo vamos a mostrar cómo es que se hace la soldadura de cada una de las uniones básicas en las posiciones plana, vertical y horizontal.

UNIÓN A TOPE EN POSICIÓN PLANA

Para hacer esta práctica utilice un par de placas de 15 cm de largo, 6 mm de espesor y electrodos E6011 y E6013.

El metal de hasta 6 mm de espesor se puede soldar a tope con una unión con los bordes a escuadra.

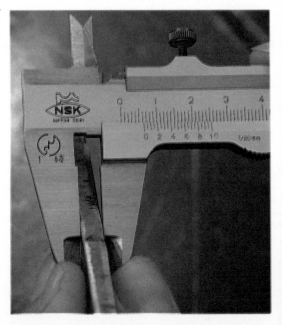

UNIONES

60 grados

6 mm o más

Unión a tope con "V" simple

60 grados

6 mm o más

"V" simple con cara en la raíz

60 grados

6 mm o más

cara en la raíz

"V" doble con cara en la raíz

Pero un metal más grueso requiere de un bisel en "V" o en "U".

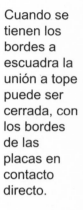

Cuando se tienen los bordes a escuadra la unión a tope puede ser cerrada, con los bordes de las placas en contacto directo.

Pero también puede ser a tope abierta, es decir, con los bordes de las placas ligeramente separados, para permitir una mayor penetración.

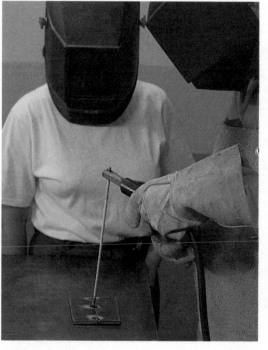

Coloque las placas en la mesa de soldar, una junto a la otra y ponga tres puntos de soldadura, dos en los extremos y uno en el centro.

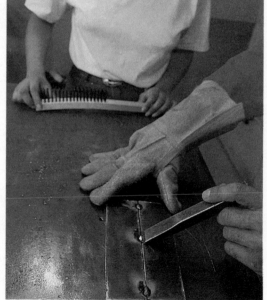

Con un cincel o con una piqueta limpie la escoria de los puntos de soldadura, pues si los deja, quedarán incrustaciones de escoria en la soldadura, que la debilitarán. Finalmente, pase el cepillo de alambre para quitar completamente los restos de soldadura.

Luego, comenzando en un extremo, inicie un arco que cubra las dos placas.

Detenga el electrodo en el charco hasta que tenga metal fundido en ambas placas.

Ya que el metal fundido haya llenado la pequeña separación entre las placas, comience lentamente a hacer una costura, moviendo el electrodo hacia adelante y atrás de la junta.

Si mueve el electrodo muy aprisa de un lado a otro, puede propiciar que la escoria quede atrapada en la junta, con lo que se tendría una unión defectuosa.

Siga soldando a todo lo largo de la unión.

Enfríe la placa.

Quite la escoria.

Inspeccione la soldadura para apreciar su uniformidad y profundidad.

Repita esta soldadura las veces que sea necesario para dominarla, utilizando los tres tipos de electrodos.

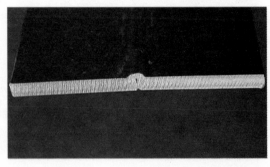

Generalmente, en este tipo de soldadura no se requiere de una penetración completa.

Pero si se necesitara, tendría que dejar entre ambas placas una separación un poco mayor, o mejor aún, hacer un bisel en las dos.

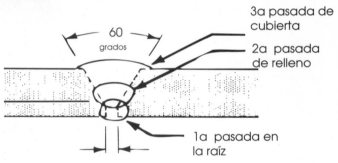

Cuando se hace un bisel, generalmente se necesita hacer varias pasadas de soldadura para llenar el hueco del bisel.

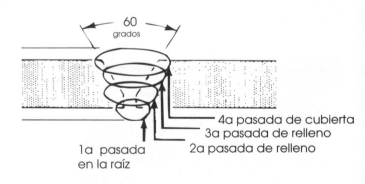

Para soldar una unión a tope con bisel primero se colocan dos o tres puntos de soldadura.

UNIONES

La pasada de raíz o primera pasada, al fondo, es la más importante y es en la que debe haber una penetración completa.

Para que haya una penetración completa la soldadura se debe depositar al fondo de la ranura biselada, en medio de las dos placas, que se deberán fundir igual.

Luego, las pasadas adicionales se deben fundir con los cordones anteriores. Antes de aplicar un cordón adicional es necesario quitar la escoria del anterior.

UNIÓN A TOPE EN POSICIÓN VERTICAL

Usando los electrodos E6011 y E6013 y los mismos materiales de la unión anterior, ensaye la soldadura a tope en posición vertical.

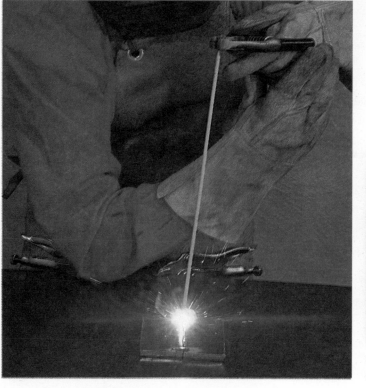

Puntee las placas en los extremos y en el centro. Quite la escoria de los puntos de soldadura antes de proceder a la unión.

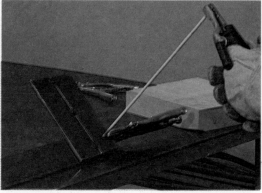

Comience con las placas inclinadas en un ángulo de 45 grados.

Comience el arco en la parte de abajo y haga un charco de metal fundido que forme un puente que llene el hueco entre las dos placas.

Empiece a formar el cordón lentamente, con un movimiento de costura en "C" o en "J", para que el charco tenga un apoyo.

En el movimiento hacia arriba del electrodo hay que apartarlo un poco del cráter y alargar ligeramente el arco, para que casi no deposite metal delante del charco.

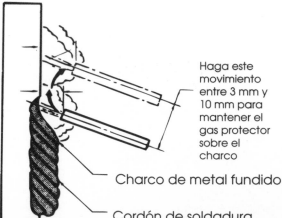

Haga este movimiento entre 3 mm y 10 mm para mantener el gas protector sobre el charco

Charco de metal fundido

Cordón de soldadura

En el movimiento de regreso el electrodo regresa al charco; luego baje el arco a su distancia normal para que deposite el metal.

Termine el cordón, procurando que no se gotee, ni se hagan jorobas.

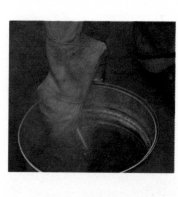

Enfríe la placa.

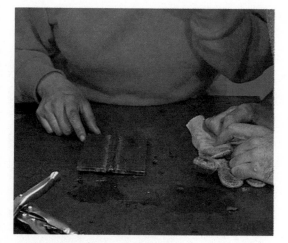

Examine los resultados y trate de identificar la causa de sus errores, si los hay.

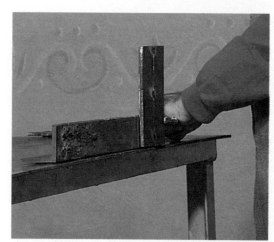

Ahora coloque una placa en posición completamente vertical.

Inicie nuevamente la soldadura comenzando por la parte de abajo de la unión.

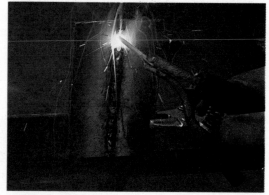

Algunos soldadores prefieren utilizar en esta unión electrodos de menor diámetro, lo que tiene varias ventajas, porque se puede usar un amperaje menor, que produce un cráter más pequeño y facilita el control del metal fundido, para que no escurra.

Si comienza a gotearse, acelere un poco la velocidad del viaje y exagere los movimientos en "C" o en "J".

Al final, enfríe la placa, quite la escoria y analice la soldadura para ver los aciertos y los defectos. Repita la soldadura en posición completamente vertical, con los tres electrodos, hasta que la domine completamente.

Para este ensayo de una unión a tope en posición horizontal utilice los mismos electrodos E6011 y E6013, con los mismos materiales y ajustes que en la práctica anterior.

Haga tres puntos de soldadura, dos en los extremos y uno en el centro. Limpie la escoria de los puntos.

Al principio, coloque las placas en un ángulo de 45 grados, con la unión en posición horizontal.

Encienda el arco sobre la placa de abajo, en el extremo derecho, y forme un charco, hasta que se construya un puente de metal fundido entre las dos placas.

Si se comienza la soldadura sobre la placa de arriba, la escoria quedará atrapada en la raíz, al inicio de la soldadura, debido a la penetración inicial tan pobre.

Comience a correr el cordón, utilizando un movimiento de costura en "J". Es mejor depositar el metal en la placa de abajo, de tal manera que pueda soportar el cordón.

UNIONES

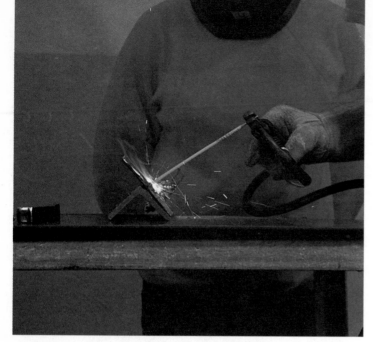

Ya que termine enfríe la placa.

Al tiempo que cruza el hueco entre las dos placas, empuje el electrodo hacia adentro, para lograr mayor penetración.

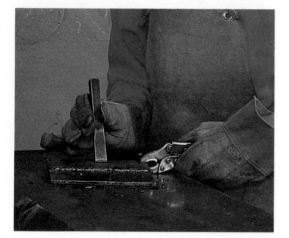

Limpie la escoria y observe la soldadura para descubrir sus aciertos y sus defectos.

A medida que adquiera la habilidad para tener mayor penetración, gradualmente, aumente el ángulo de la placa hasta que quede completamente vertical y la soldadura completamente horizontal. Haga esta soldadura con los dos tipos de electrodo, hasta que haya dominado esta unión.

UNIÓN A SOLAPA EN POSICIÓN PLANA

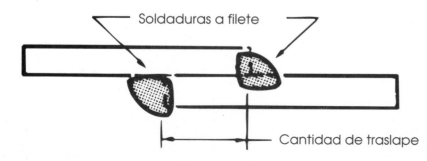

Soldaduras a filete

Cantidad de traslape

La unión a solapa puede hacerse soldando los bordes de las dos placas, o solamente por un lado, con una soldadura de filete.

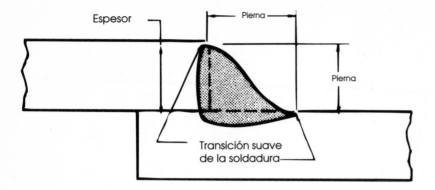

Espesor

Pierna

Pierna

Transición suave
de la soldadura

Para que resulte firme la soldadura, la acumulación de material en la unión debe ser igual al espesor de la placa.

Utilice los mismos electrodos y materiales que en las prácticas anteriores.

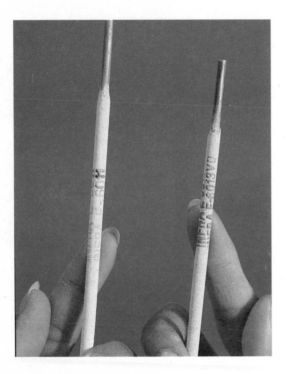

Mantenga las placas juntas con un traslape no mayor de 6 mm.

Punteé las placas. Limpie la escoria.

Encienda el arco y forme un charco directamente en la junta.

Utilice un movimiento de costura en "C" o en zigzag. Mueva el electrodo a la placa de abajo y después hasta el borde superior de la placa de arriba.

Con el arco siga la superficie de las placas en vez de seguir el borde exterior de la soldadura.

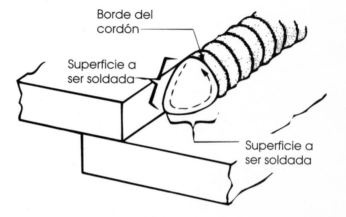

Borde del cordón

Superficie a ser soldada

Superficie a ser soldada

Si se sigue el borde exterior de la soldadura no se tendrá una buena fusión en la raíz y se tiene el riesgo de que se acumule escoria dentro del metal de la soldadura. Si por alguna razón se llega a depositar escoria bajo el metal, detenga la soldadura antes de terminar, enfríe la placa y quite la escoria. Después continúe con la soldadura hasta terminar.

Enfríe la soldadura y quite la escoria.

Recuerde que al quitar la escoria debe llevar gafas de seguridad.

Con la ayuda de un cepillo de acero, termine de quitar la escoria.

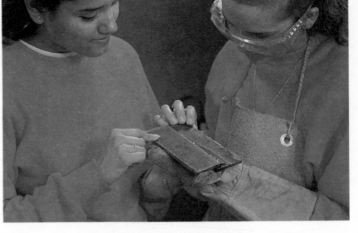

Observe la soldadura para encontrar sus aciertos y sus defectos.

Si lo cree útil, ayúdese con una lupa para advertir con más claridad las diferentes características de la soldadura. Repita la unión a solapa en posición plana con los dos tipos de electrodo hasta que domine completamente esta junta.

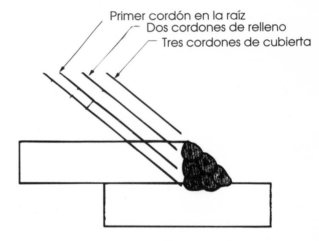

Primer cordón en la raíz
Dos cordones de relleno
Tres cordones de cubierta

Las uniones a solapa en metal grueso requieren varias pasadas de soldadura.

UNIÓN A SOLAPA EN POSICIÓN VERTICAL

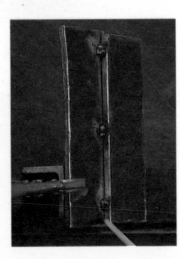

Comience a practicar con la placa en una inclinación de 45 grados. Para mantener las placas juntas haga tres puntos de soldadura y quíteles la escoria.

Forme un charco en la raíz de la junta.

UNIONES

Utilice el movimiento de costura en "T" o en "J" para avanzar el charco.

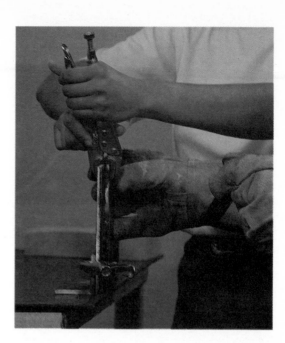

Conforme domine el cordón, aumente el ángulo de las placas hasta que queden verticales.

Si se empieza a escurrir o comienzan a formarse jorobas, aumente la velocidad del viaje y exagere un poco el movimiento de costura en "C" o en "J".

Al finalizar enfríe la placa y examine los reultados. Repita esta soldadura con los dos tipos de electrodo, hasta que la haya dominado.

UNIÓN EN "T" EN POSICIÓN PLANA

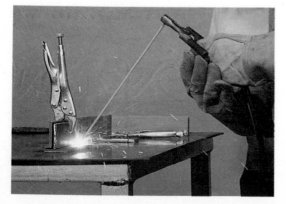

La unión en "T" se hace punteando una pieza de metal contra otra, en ángulo recto.

Se quita la escoria de los puntos de soldadura.

Durante la soldadura en "T" el calor no se distribuye uniformemente entre ambas placas. La placa vertical que forma el vástago sólo puede conducir el calor en una dirección y se calienta más aprisa.

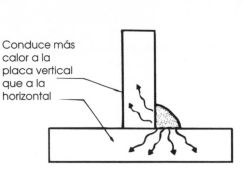

Conduce más calor a la placa vertical que a la horizontal

En cambio, en la placa de la base se escapa en todas direcciones y se calienta más lentamente.

Por eso, para mantener uniforme el tamaño de la soldadura, la mayor parte del calor debe ser dirigido a la placa base.

Después de que haya punteado las placas, colóquelas en la mesa, de tal manera que la soldadura sea plana.

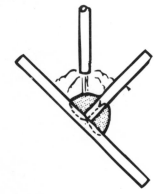

Comience en un extremo y establezca el charco en ambas placas.

Deje que el charco corra entre ambas placas antes de comenzar el movimiento de costura.

Con esta unión funciona bien cualquiera de los patrones de costura, pero para evitar las inclusiones de escoria, utilice un amperaje ligeramente más alto que el normal.

UNIONES

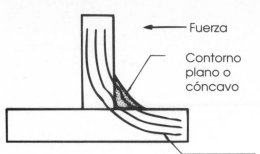

Fuerza

Contorno plano o cóncavo

Líneas de tensión

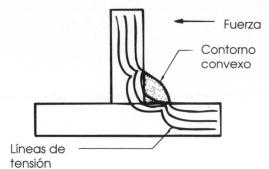

Fuerza

Contorno convexo

El cordón de la soldadura debe tener una apariencia plana o ligeramente cónica, para asegurar una mayor fuerza y eficacia.

Cuando complete la soldadura, enfríela y quite la escoria.

Analice la soldadura para ver sus aciertos, defectos y penetración. Repita la soldadura las veces que sea necesario, hasta que la domine perfectamente con los dos tipos de electrodo.

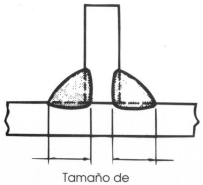

Tamaño de los cordones

Una soldadura en "T" puede ser muy fuerte si está soldada por ambos lados, aun sin tener una penetración profunda.

Utilice los mismos materiales y ajustes de los ensayos anteriores para hacer una soldadura en posición vertical. Comience a practicar esta soldadura con las placas ya punteadas y limpias de escoria, pero en una posición inclinada a 45 grados. Esta posición le ayudará a desarrollar su habilidad para la posición vertical.

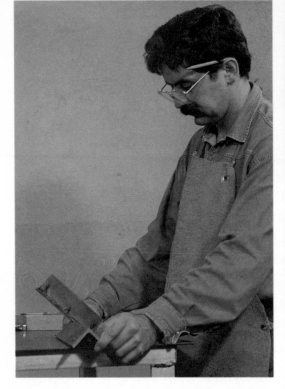

Construya un apoyo lo suficientemente grande para soportar el cordón.

Los movimientos de costura en "J" o en "C" funcionan muy bien y proporcionan una buena penetración en la raíz.

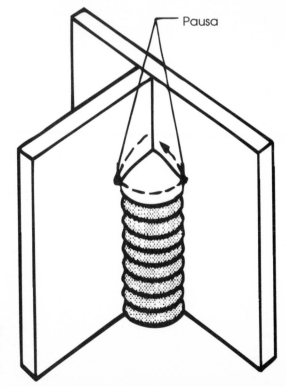

Pausa

En esta soldadura son un problema las muescas a los lados de la soldadura; se pueden controlar deteniendo lo suficiente el arco en los lados, para hacer que el metal del electrodo fluya y las rellene.

UNIONES

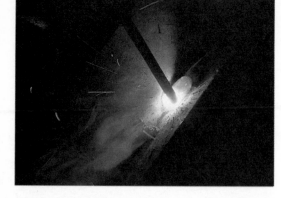

Si tiene escurrimientos o se forman jorobas, acelere la velocidad del viaje y exagere un poco los movimientos de la costura.

Termine el cordón, enfríelo y examínelo.

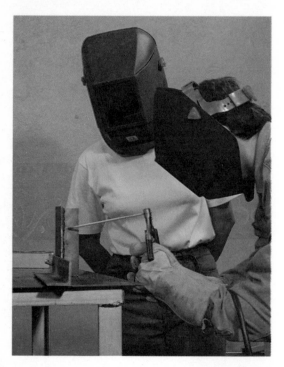

Conforme domine el cordón vaya subiendo la inclinación de las placas, hasta que quede completamente vertical.

Al terminar enfríe la unión y quite la escoria.

Analice la soldadura para ver la uniformidad y los defectos.

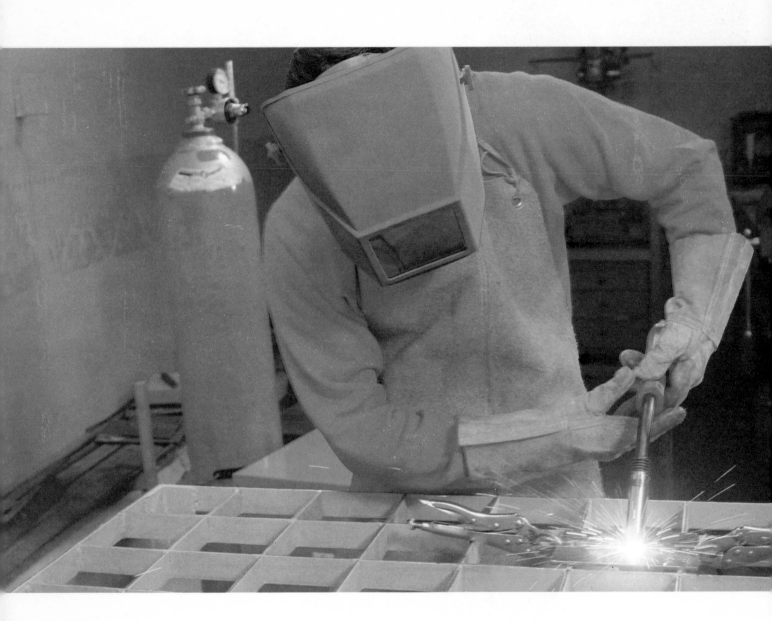

La soldadura con metal y arco protegido o soldadura MIG, como es mejor conocida, se descubrió en 1948; pronto se convirtió en uno de los métodos más atractivos para la industria y ha desplazado, poco a poco, al método tradicional.

SOLDADURA MIG

Las máquinas con que se realiza la soldadura MIG, aunque más caras y complejas, cada vez resultan más atractivas al soldador común, a la pequeña industria y a los talleres artesanales.

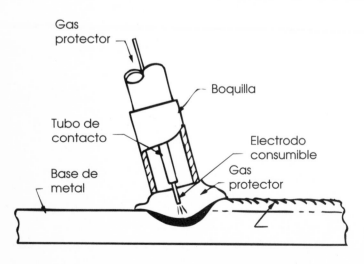

La soldadura MIG utiliza un alambre desnudo como electrodo y un chorro de gas como protección.

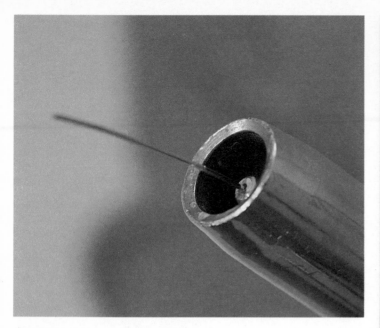

Algunas de las ventajas sobre la soldadura con arco convencional son: que usa un electrodo continuo, un rollo de alambre, de tal manera que se puede soldar sin parar a cada rato para cambiar electrodos.

La velocidad con que se suelda es mayor, de manera que se puede hacer más cantidad de trabajo en el mismo tiempo.

Es una soldadura que no produce escoria y salpica muy poco. Todo el electrodo se convierte en relleno o metal de aporte a la soldadura.

Es una soldadura que tiene una mayor penetración que la soldadura convencional con arco.

Para que un principiante domine la soldadura MIG
se necesita menor tiempo de entrenamiento y práctica que para aprender la soldadura con electrodo cubierto de fundente.

DESVENTAJAS

Las desventajas que tiene sobre la soldadura con arco eléctrico tradicional son:

El equipo cuesta un poco más.

Como es un equipo un poco más pesado, la máquina no se puede colocar prácticamente en cualquier parte, como sucede con los transformadores pequeños que se usan en la soldadura convencional.

Cuando se trabaja en el exterior y hay mucho viento, el aire puede desplazar y eliminar el gas protector del arco.

TRANSFERENCIA DEL METAL

El paso o transferencia del metal del electrodo al metal de la placa que se va a soldar se hace por tres procesos diferentes: por corto circuito, por transferencia globular y por transferencia de rocío.

Ni en la transferencia globular ni en la de rocío, el electrodo toca la base de metal.

La transferencia por corto circuito usa una corriente y un voltaje bajos. No agrega mucho calor a la base de metal, por lo que resulta muy adecuada para soldar láminas delgadas de metal.

Cuando el electrodo toca el metal no produce un arco, sino un corto circuito.

En cuanto se presenta el corto circuito, el metal del electrodo se pega al metal de la placa que se suelda.

Entonces, la máquina trata de mantener el voltaje que se había seleccionado y aumenta la corriente que llega al electrodo.

Ese aumento de corriente o amperaje hace que el electrodo se caliente y se funda, desprendiendo el metal.

Después que el electrodo se separa del charco de soldadura, sigue avanzando, sigue saliendo alambre y se vuelve a pegar a la placa, produciendo un nuevo corto circuito y otra vez se repite todo el proceso.

El electrodo toca el metal y hace corto circuito entre 20 y 200 veces cada segundo.

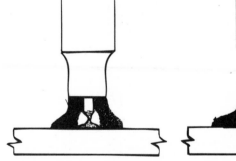

Salpica un poco más que la transferencia por corto circuito.

La transferencia globular utiliza un voltaje ligeramente más alto que la transferencia por corto circuito.

El metal del electrodo se funde en gotas o glóbulos que escurren por la punta.

El glóbulo no cae directo en el charco, sino que cae al azar, con la fluctuación del arco.

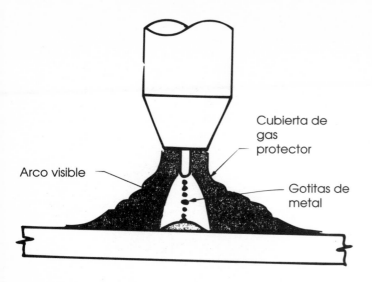

Cubierta de gas protector

Arco visible

Gotitas de metal

La transferencia por rocío requiere de un voltaje más alto y la utilización de argón como gas protector.

En este proceso, cada segundo cientos de pequeñas gotas viajan a una velocidad muy rápida, directamente a la soldadura.

Esta transferencia produce un charco muy fluido con buena penetración y poco salpicado.

EQUIPO

El equipo para soldadura MIG consiste en:
Una máquina para soldar.

Un alimentador de alambre con un rollo de electrodo.

Una pistola para soldar.

Un suministro de gas con sus controles.

LA MÁQUINA MIG

Primary voltage	3×220V	3×440V
Frequency	60 Hz	
Max. current input	44A	22A
Open circuit voltage	17-50V	
Welding voltage	14-31 V	
Welding current	40-325A	
Wire sizes	0.6-0.8 – 1.0-1.2	
Max. power input	16.5kVA	

Las máquinas de soldadura MIG trabajan generalmente con una corriente de entrada de 220 volts en una sola fase o de 220 en tres fases. Hay máquinas pequeñas, para soldar láminas delgadas, como las de las carrocerías de los automóviles, que trabajan hasta con 125 volts.
La corriente que producen las máquinas MIG siempre es corriente directa.

Para soldar, la máquina MIG utiliza una corriente de voltaje constante. Esto quiere decir que la máquina trata de mantener el voltaje constante durante todo el proceso de soldadura. Lo que cambia es la corriente o amperaje.

La característica más notable de estas máquinas es que tratan de mantener constante el voltaje y la longitud del arco.

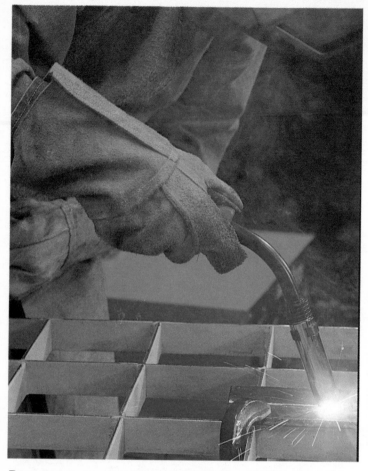

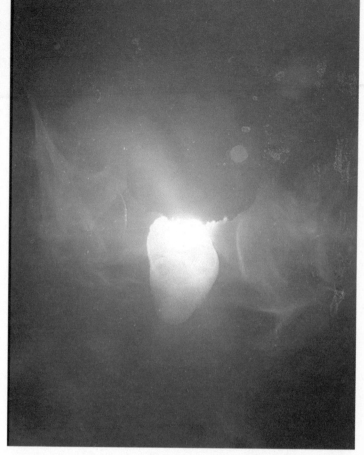

Para compensar cualquier movimiento, vibración o titubeo en el pulso del soldador, la máquina hace muy rápidamente los ajustes necesarios. Debido a que hace los ajustes automáticamente, se dice que es *autoajustable*.

Si la pistola se acerca demasiado al metal cuando se está soldando, el arco se acorta y el voltaje disminuye.
En ese momento la fuente de poder envía más corriente, de manera que el electrodo se consume más aprisa. Cuando el electrodo se quema, regresa a la longitud y al voltaje originales del arco. Entonces, la corriente o amperaje también regresa a sus valores originales.

Si la pistola se aparta o eleva un poco más de lo debido sobre el metal que se suelda, aumenta la longitud del arco y aumenta el voltaje.
En ese momento, la fuente de poder reduce la corriente que envía y el electrodo se quema o funde más lentamente. Cuando el electrodo se funde más despacio, se acorta la longitud del arco y el voltaje del arco disminuye.

Cuando se vuelven a restablecer correctamente la longitud del arco y el voltaje, la fuente de poder de la máquina regresa también a su amperaje correcto.

El soldador establece el voltaje con el que quiere soldar. Hace esto girando la perilla de ajuste del voltaje. En la soldadura MIG no se hace un ajuste manual del amperaje.

El electrodo viene en unos rollos con decenas y hasta cientos de metros de alambre.

El rollo de alambre se coloca en el alimentador que lleva el electrodo desde el rollo hasta la pistola.

Desde el rollo se toma la punta del alambre y se lleva hasta la entrada de los rodillos alimentadores.

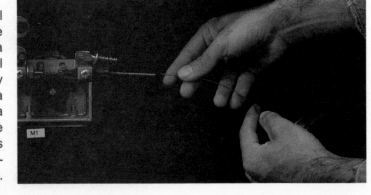

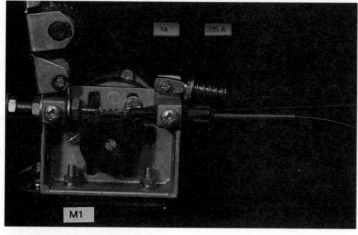

Se mete el alambre, de manera que pase por la ranura que hay bajo los rodillos alimentadores.

Se mete más el alambre, hasta que pase hasta el enchufe de la manguera, en la parte exterior de la máquina.

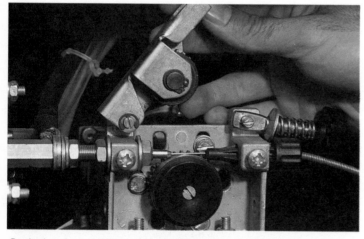

Se bajan los rodillos alimentadores, de modo que caigan sobre el alambre. El aparato alimentador empuja suavemente el alambre del rollo hacia la pistola por medio de dos o cuatro rodillos.

Estos rodillos giran a la velocidad que el soldador ha establecido en la perilla de ajuste de velocidad de alimentación. Esa perilla cambia la velocidad del motor que mueve los rodillos.

Los rodillos de alimentación pueden ir más o menos apretados, haciendo más o menos presión sobre el alambre. La presión se aumenta o disminuye girando el tornillo de control de la presión.

El alambre viaja suavemente desde el alimentador hasta la pistola por un conducto o *liner*, hecho con un tubo flexible de alambre enrollado, que va dentro del cable o manguera de la pistola, la cual se enchufa a la máquina, precisamente por donde sale el alambre.

Una vez enchufada la manguera o cable de la pistola, se enciende la máquina y se aprieta el gatillo para que avance el alambre a través del *liner*.

El gatillo de la máquina se suelta cuando sale la punta del alambre por la pistola.

PISTOLA

La pistola de la máquina de soldadura MIG tiene varias funciones, además de conducir el electrodo de alambre continuo.

Es en la pistola donde se establece el contacto eléctrico con el electrodo, por medio de un tubo de contacto atornillado a la punta de la pistola, el cual está hecho de una aleación de cobre.

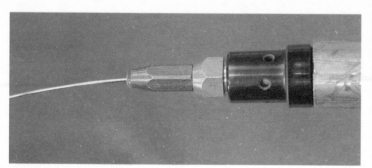

La pistola también lleva y dirige el gas protector que sale por la boquilla.

El gas penetra a la manguera de la pistola por el mismo enchufe por donde entra el electrodo de alambre.

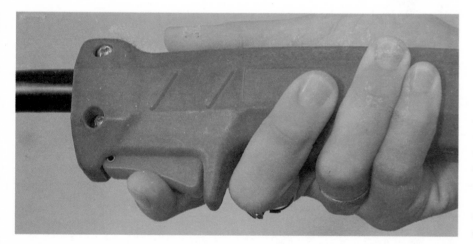

Finalmente, la pistola tiene un gatillo o apagador con el que se inicia y detiene la operación de soldado. Cuando se aprieta el gatillo, el alambre comienza a avanzar, el gas protector empieza a salir y se establece el contacto eléctrico con el electrodo.

Cuando se suelta el gatillo, el alambre se detiene y el gas protector deja de salir.

La pistola lleva en su punta, una boquilla intercambiable por otras de varios diámetros y formas. Esta boquilla es la que dirige el gas protector hacia la zona de soldadura.

Hay tres gases que se utilizan para proteger la soldadura MIG: el argón, el helio y el dióxido de carbono.

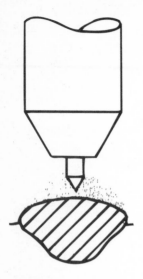

Dióxido de carbono

El dióxido de carbono se usa solamente cuando se sueldan metales ferrosos y varios aceros, incluyendo los aceros inoxidables.

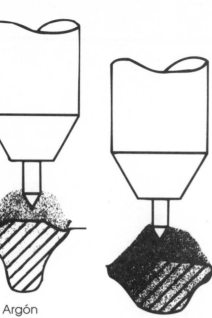

Argón

El argón se usa en la soldadura de cualquier metal cuando se hace con la transferencia por rocío. También se utiliza en la soldadura del aluminio, el bronce, el níquel, el magnesio y otros.

Argón y oxígeno

El helio se usa siempre en combinación con el argón para soldar diversas aleaciones de acero, incluyendo el inoxidable.

Argón y helio

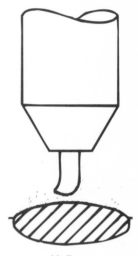

Helio

Los gases protectores se venden en cilindros iguales a los de los gases combustibles.

El gas que contienen estos cilindros está a presiones muy elevadas, por lo que se debe tener mucho cuidado al manejarlos y moverlos.

Para poder utilizar el gas se quita el tapón de la válvula.

Y en la válvula del cilindro se pone un regulador para dióxido de carbono que reduce la presión de salida del gas.

La tuerca del regulador debe apretarse firmemente con una llave ajustable. Después, con agua y jabón se debe probar si hay fugas.

El regulador reduce la presión del gas a 50 libras por pulgada cuadrada, que es una presión con la cual se puede trabajar.

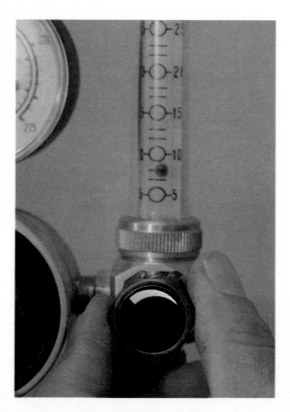

Este regulador tiene además un medidor de flujo, movimiento o paso. Es decir, que el regulador controla la presión y el flujo del gas.

El controlador del flujo tiene una pelota pequeña dentro de un tubo de vidrio. El gas entra al controlador de flujo por la parte de abajo, y levanta la pelotita al salir.

El flujo del gas protector se mide en **pies cúbicos por hora** o en **litros por minuto**. La altura a la que sube la pelotita indica la cantidad de gas que sale. El flujo de gas se controla con la **perilla de ajuste del flujo**.

El tubo de salida del gas se conecta a la máquina. De allí pasa al cable o manguera de la pistola y luego a la pistola.

MANUAL DE SOLDADURA CON ARCO ELÉCTRICO

Soldadura de Metal con Arco Protegido	
Metal Base	**Electrodos recomendados**
Aluminio	ER1100, ER4043, ER5356
Cobre y aleaciones de cobre	ERCu, ERCuAl-A1
Aceros al carbón	ER70S-3, ER70S-6
Acero Dulce	ER-B2, ER80S-D2
Acero inoxidable	ER308, ER308L, ER316, ER347
Niquel y aleaciones de niquel	ERNi-1, ERNiCr-3, ERNiCrMo-3
Magnesio	ERAZ61A, ERAZ92A
Titanio	ERTi-1

La selección del electrodo a usar depende principalmente del metal base que se va a soldar.

AJUSTE DE LA MÁQUINA

En la máquina para soldar se deben hacer dos ajustes: uno del voltaje y otro de la velocidad de alimentación del electrodo. El voltaje que se ajusta en la máquina es el voltaje abierto, que es un poco más alto que el voltaje de la soldadura.

El tamaño del arco y la cantidad de corriente quedan determinados por los dos ajustes anteriores.

Ajustes para Soldar al Acero Dulce				
Transferencia por Corto Circuito				
Diámetro del Electrodo		Velocidad de Alimentación del Alambre		Voltaje de Arco
Pulg	mm	Pulg/ min	m/ min	
.030	.76	150-340	3.81-8.64	15-21
.035	.89	160-380	4.06-9.65	16-22
.045	1.14	100-220	2.54-5.59	17-22

El método de transferencia también está determinado por los ajustes de voltaje y velocidad de alimentación y, además, por la elección del gas protector.

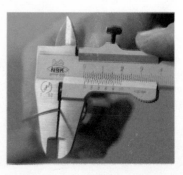

El ajuste adecuado de voltaje y velocidad lo determinan, a su vez, el diámetro del electrodo que se use y el método de transferencia que se vaya a usar.

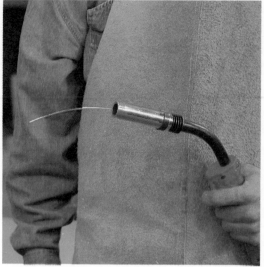

El metal que se va a soldar debe estar limpio mecánica y químicamente. Esta limpieza se debe hacer primero con un cepillo de alambre y, si es necesario, con un poco de alcohol o cualquier otro solvente.

Tome la pistola con su mano para soldar de manera cómoda, de tal manera que pueda soldar por un rato largo sin cansarse ni interrumpir el trabajo.

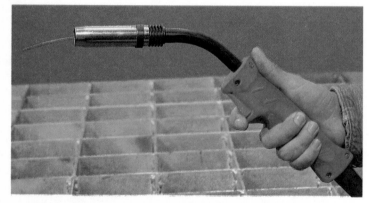

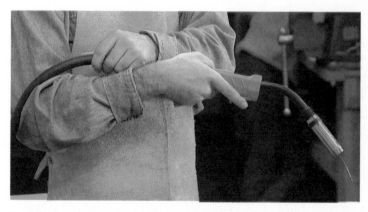

Sostenga la pistola de tal manera que su dedo pulgar quede apoyado en el apagador o gatillo de la pistola.

Si quiere puede colocar el cable sobre su antebrazo.

Coloque la pinza del cable de tierra en la mesa de trabajo.

Encienda la máquina.

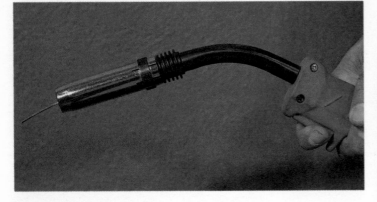

Apriete el gatillo para que salgan unos 5 mm de electrodo.

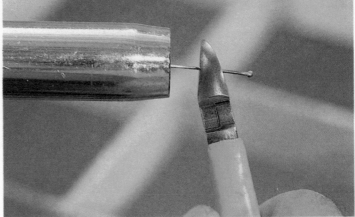

Córtelo con unas pinzas o alicates para que quede con una punta de 6 a 13 mm para soldar **acero dulce** con transferencia por corto circuito. La punta **debe** ser un poco más grande, entre 13 y 25 mm, cuando se va soldar por rocío, y se utiliza argón como gas protector.

La soldadura con la máquina MIG se hace avanzando el electrodo adelante o por atrás del charco. También se puede hacer colocando la pistola verticalmente.

Con el método hacia atrás se obtiene una mayor penetración, y se coloca la pistola a un ángulo de 25 grados de la vertical.

Dirección del viaje

Dirección del viaje

Dirección del viaje

20 a 25 grados

20 a 25 grados

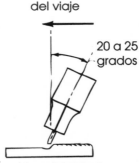

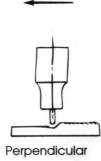

Ángulo adelantado

Perpendicular

Ángulo retrasado

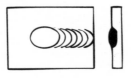

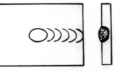

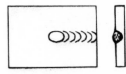

Coloque la pistola sobre el área que va a soldar, inclinada entre 20 y 25 grados.

Toque el metal con el electrodo, pero no apriete el gatillo.

Luego, levante la pistola un milímetro y medio.

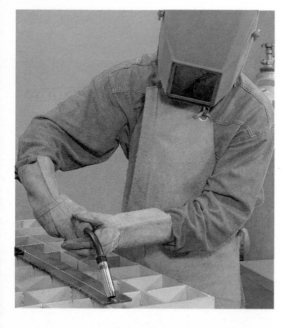

Baje su casco frente a su cara y presione el apagador.

Con ello se formará un arco.

El arco funde la base de metal y hace un cráter. La profundidad de ese cráter es la penetración que tendrá la soldadura.

Enseguida, mueva la pistola en la dirección que deba soldar, a lo largo de la línea de soldadura.

El metal del electrodo se agregará constantemente al charco. El charco que resulta es redondo o ligeramente oval. Se puede hacer un cordón más ancho meneando la pistola de un lado a otro, con un movimiento de costura.

El electrodo debe estar justamente arriba de la línea central del charco.

Mantenga el ángulo de la pistola y la separación sobre el charco lo más constante que le sea posible.

El cráter deberá llevarse hasta el final de la unión. Allí, cuando ya esté listo para parar, mueva la pistola un poco hacia atrás, sobre el charco, y suelte el apagador.

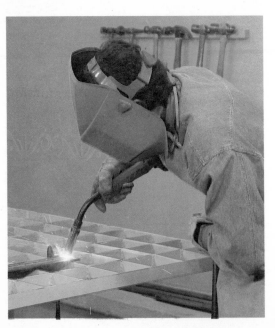

Entonces, el electrodo dejará de avanzar y terminará el arco. Deje la pistola en ese mismo lugar unos segundos, hasta que el gas protector deje de salir.

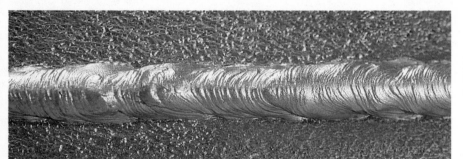

Un buen cordón debe tener ondas espaciadas parejas, con los bordes del mismo ancho a todo lo largo.

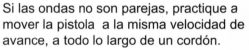

Si las ondas no son parejas, practique a mover la pistola a la misma velocidad de avance, a todo lo largo de un cordón.

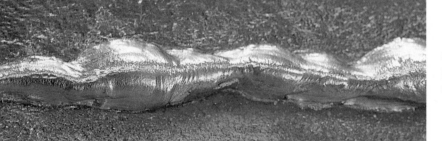

Si los bordes no son del mismo ancho practique a mover la pistola establemente, sin menearla de un lado a otro.

La cantidad de material de aporte o de refuerzo de la soldadura se controla con la velocidad del viaje. Con una velocidad lenta se produce un cordón ancho.

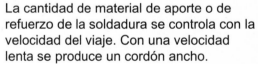

Mientras que un cordón angosto resulta de avanzar la pistola muy aprisa.

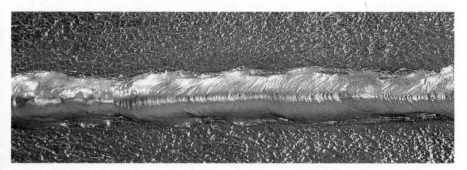

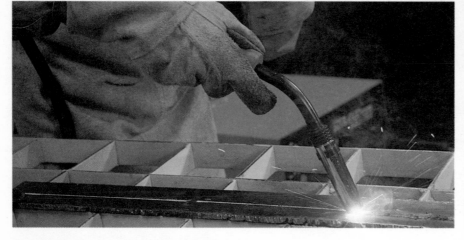

Cuando se mueve la pistola a una velocidad correcta se tiene una buena penetración, sin que el charco tenga una profundidad excesiva.

El salpicado se reduce cambiando el ángulo de la pistola o el largo del electrodo. Un electrodo más largo salpica menos, pero un electrodo demasiado largo produce una penetración insuficiente.

Un electrodo muy largo también puede producir una soldadura con porosidad, porque el gas protector no es capaz de cubrir el área de soldadura. Un flujo de gas pequeño también provoca porosidad.

SOLDADURA DE UNA JUNTA A TOPE

La soldadura de una junta a tope se puede hacer con el borde recto, si se trata de una placa delgada, o con un bisel, si la placa es de más de 6 mm de grueso.

Para hacer la unión se deja una pequeña abertura entre ambas piezas y se puntea.

Al iniciar el arco, en un extremo de la unión, se deben fundir los bordes de ambas piezas.

Se debe mantener constante el tamaño del charco.

El electrodo debe estar directamente arriba de la línea central de la soldadura y ambas piezas deben fundirse por igual.

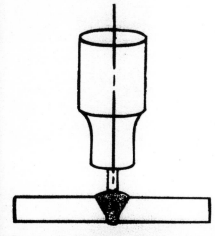

Si un lado se funde más que el otro, centre el arco y mantenga la pistola a 90 grados de la superficie del metal.

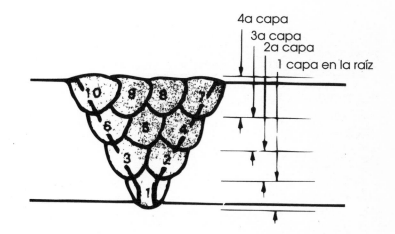

4a capa
3a capa
2a capa
1 capa en la raíz

Para llenar las ranuras de las uniones de metal grueso se requieren varias pasadas.

Después de la primera pasada o pasada de raíz, las pasadas siguientes se hacen igual que cuando se coloca un cordón sobre una placa, aunque se requiere una buena penetración sobre el cordón de abajo.

Al terminar deje la pistola un momento quieta, para que termine de salir el gas.

La soldadura a filete se hace igual que cuando se deposita un cordón en una placa.

El electrodo y el arco se centran sobre la raíz de la unión y se hacen dos o tres puntos de soldadura.

La pistola se debe mantener en un ángulo de 45 grados en relación a la base de metal.

La pistola se puede correr hacia adelante o hacia atrás.

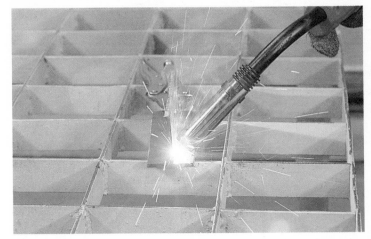

Una vez que se inicia el arco se produce un charco.

Una vez iniciado el charco se hace el cordón, utilizando un movimiento de costura en "C".

Mantenga el charco del mismo ancho a todo lo largo de la unión.

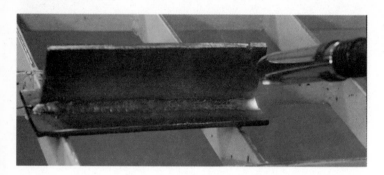

Al terminar, deje la pistola apagada por unos segundos, para que termine de salir el gas.

SOLDADURA A TOPE EN POSICIÓN HORIZONTAL

En general es más difícil soldar en una posición horizontal que en una posición plana. La fuerza de la gravedad empuja la soldadura hacia abajo y no llena adecuadamente la unión.

El arco debe fundir las dos piezas.

En una unión a tope hay que dirigir el electrodo ligeramente a la pieza de arriba. Si se dirige ligeramente abajo, la pieza de arriba no se fundirá lo suficiente.

Vea el charco y ajuste el ángulo de la pistola para mantenerlo de tal manera que las dos piezas se fundan por igual.

No debe haber metal que escurra.

La soldadura en posición vertical se puede hacer de abajo hacia arriba o de arriba hacia abajo.

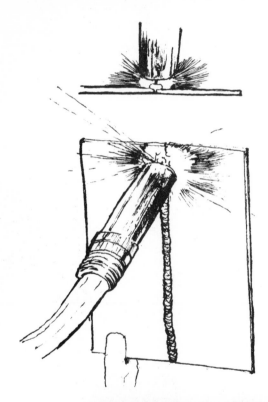

Cuando se suelda en la posición vertical el charco no debe ser muy grande. El electrodo debe ir centrado en el charco para calentar por igual las dos piezas de metal.

Cuando el cordón queda con jorobas es porque no se hizo correctamente el movimiento de costura, el cual fue muy lento y los rasgos de la "C" o la "J" no fueron suficientes para producir un ligero enfriamiento del charco.

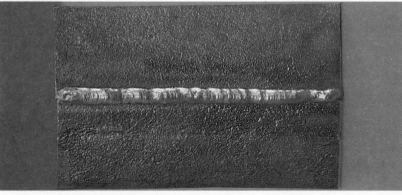

La soldadura debe quedar tersa, pareja y sin defectos.

Después de hacer tres puntos de soldadura se inicia el cordón. Éste puede hacerse de abajo hacia arriba.

Pero también puede hacerse de arriba hacia abajo.

En ambos casos se debe hacer el cordón utilizando un movimiento de costura en "C" hacia arriba. Si no se hace así el charco tenderá a escurrirse, formando jorobas y aun gotas.

El cordón debe quedar parejo y sin jorobas ni gotas. Esto se logra haciendo correctamente el movimiento de costura. En los movimientos hacia los lados el charco se debe enfriar lo suficiente para que no gotee ni escurra.

Èn la unión a solapa en posición vertical también conviene utilizar un movimiento de costura en "C" o en "J". Después de fijar las dos piezas con tres puntos de soldadura, proceda a hacer el cordón, ya sea de abajo para arriba o de arriba hacia abajo.

El arco y el electrodo se deben dirigir un poco más hacia la placa base que hacia el borde, para que el cordón tenga una penetración semejante en ambas placas.

El cordón debe quedar terso, sin jorobas. Al igual que en las otras soldaduras verticales, ello depende de que el charco se enfríe ligeramente al hacer el movimiento de costura.

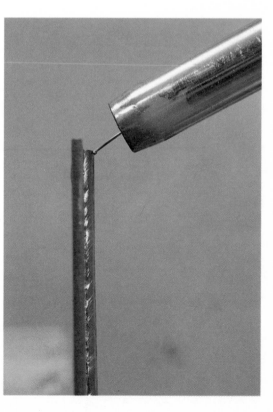

Al terminar el cordón, mantenga la pistola unos segundos más en esa posición, para que termine de salir el gas.

La publicación de esta obra la realizó
Editorial Trillas, S. A. de C. V.

División Administrativa, Av. Río Churubusco 385,
Col. Pedro María Anaya, C. P. 03340, México, D. F.
Tel. 56884233, FAX 56041364

División Comercial, Calz. de la Viga 1132, C. P. 09439
México, D. F. Tel. 56330995, FAX 56330870

Esta obra se terminó de imprimir y encuadernar
el 7 de enero de 2005,
en los talleres de Rotodiseño y Color, S. A. de C. V.
BM2 100 RW